CW00410340

Du même auteur

Du Sang sur le thé blanc, Éditions Red'Active - 2020

Le Venin de la suspicion, Éditions Red'Active, à paraître

Note au lecteur

Le secret de la bastide est la version longue et enrichie de « l'héritage du Bougnat », paru en 2019.

Joëlle Vialatte

Le Secret de la bastide

Roman

À Rémi,

À mes enfants et mes petits-enfants,

À ma famille,

À mes amis,

Et à tous ceux qui ont des rêves.

Prologue

Le notaire allait nous inviter à nous asseoir lorsqu'un homme fit irruption dans le bureau. La secrétaire affolée le tirait par le blouson pour le retenir.

– Quel joli tableau ! ironisa l'individu.

Grand, brun, les cheveux hirsutes et une barbe de huit jours, l'énergumène détaillait la scène avec un regard furieux.

– Nathan ! s'écrièrent en même temps tous les membres de la famille Maréchal, manifestement surpris par sa présence.

Bouche bée, les yeux écarquillés, ils suivaient tous les gestes du gaillard qui s'avançait vers moi, l'air menaçant.

– Et vous, qui êtes-vous ? Quel est votre rôle dans cette farce ? jeta-t-il, d'un ton désobligeant.

1

Volte-face

La Chapelle-Geneste, Haute-Loire, décembre 2003

Au volant de mon Audi TT noire, j'avais conduit pendant plus de cinq heures, sans interruption depuis Aix-en-Provence. Assis à côté de moi, Yann Belon, mon directeur régional, passait son temps au téléphone à travailler sur ses dossiers et à organiser ses rendez-vous pour les prochains jours. Il restait à peine trente minutes avant que je ne le dépose à Clermont-Ferrand. Ensuite, je terminerais ma route jusqu'à La Chapelle-Geneste, un petit village de Haute-Loire.

– Bon, à nous deux, lança-t-il en se tournant vers moi.

Il fouilla dans sa mallette pour sortir son dossier.

— Comme je vous l'ai déjà dit, cette mission ne devrait pas vous prendre trop de temps. Dans cette affaire, nous sommes mandatés par l'acquéreur. Je ne connais pas le notaire avec lequel vous devrez traiter, mais sachant que le prix est fixé en accord entre les deux parties, je pense que tout roule.

Je fronçai légèrement les sourcils, avant de lui répondre.

— C'est quand même une grosse vente. Plus de 5 millions d'euros pour une bastide de 400 mètres carrés, un terrain de 25 hectares et la pleine propriété d'une source d'eau chaude à exploiter.

— Et tout ça avec pour unique ambition, l'intention d'implanter un complexe aqualudique, thermal et médical dont le projet est estimé à plus de 50 millions d'euros, continua Yann moqueur.

— J'avoue avoir hâte que le contrat de vente soit signé.

Il ferma le document qu'il avait sur les genoux.

– Oui, c'est certain. Mais réellement, je vous confirme qu'il s'agit juste d'une formalité. Gilles Frémont, notre collègue de l'agence de La Chaise-Dieu a fait tout le boulot en menant les négociations en amont. Merci à vous de le remplacer au pied levé.

Je lui souris.

Yann, énarque et diplômé de Sciences Po, était, à 35 ans, membre du directoire de la société d'administration de biens et de transaction immobilière Logeathlon. Un groupe qui comprenait plus de six cents agences dans la France entière. En tant que directeur régional, il responsable des ressources humaines, mais aussi coordinateur des missions de conseil et de contrôle pour plus de deux cents succursales de son territoire. C'est donc lui qui recrutait les futurs directeurs.

– Yann, je vous remercie sincèrement de la confiance que vous me faites en me nommant à la direction de l'agence du Puy-en-Velay dès la fin de cette transaction.

– Disons que j'ai besoin d'un nouveau dirigeant pour notre agence du Puy. Je cherche un œil neuf, une personne intelligente, quelqu'un d'efficace, de moderne, de rigoureux, avec une bonne dose d'énergie. Et..., c'est votre nom qui est sorti du chapeau.

Il se pencha vers moi en clignant d'un œil.

– Réglez ce contrat et voyez si vous êtes certaine de pouvoir vous installer dans cette région. Attention, n'oubliez pas que la vie n'est pas la même que dans le sud de la France. Adieu la mer, les hivers doux, le soleil de mai à octobre...

En pur Méridional, Yann considérait que le Nord commençait juste après Aix-en-Provence. J'éclatai de rire.

– Bonjour les frimas, la neige, le verglas... lui répondis-je, en me garant devant l'agence immobilière de Clermont-Ferrand.

– Vous entrez boire un café ?

– Non merci, je voudrais arriver avant la nuit pour repérer la bastide et travailler un peu sur le dossier.

Avant de descendre du véhicule, il ajouta :

– Surtout, n'oubliez pas de prendre toutes les photos et les mesures demandées par l'architecte. Il compte sur nous.

Il partit en me gratifiant d'un salut militaire.

***

Je poursuivis ma route, en pensant à l'énumération de mes prétendues qualités. Il avait juste oublié de les mettre en miroir avec quelques-uns de mes principaux défauts. Il ne savait rien de mon insupportable impatience. L'attente pouvait me rendre folle, parfois même vulgaire. Mon ordinateur en était le premier témoin lorsqu'il mettait plus de trente secondes à coller le texte que je lui avais demandé de copier !

Cette énergie qu'il mettait à mon crédit me permettait davantage de masquer ma peur du vide que d'agir par curiosité et par passion. Concrètement, cela se traduisait par un agenda surbooké, des projets qui devaient absolument s'enchaîner, et un état de surmenage nerveux quasi permanent. Mes lectures sur le sujet expliquaient l'origine de ce comportement par un sentiment précoce d'abandon, une dépression infantile ou une carence affective. Rien de tout cela, ne me concernait.

Choyée par des parents aimants, j'étais bercée de souvenirs d'une enfance heureuse. Alors, quoi ? Ce qui était certain, c'est qu'à 30 ans j'avais déjà une solide expérience dans le réseau de l'immobilier. À la fin de mes études de droit - un master en immobilier et une spécialité en urbanisme en poche -, j'avais choisi d'intégrer un groupe qui étendait son réseau sur la France entière et en Europe.

Un parcours initié par la société permettait aux futures recrues de pratiquer tous les métiers pour mieux les comprendre. J'avais suivi ce cursus durant trois années dans plusieurs agences du sud de la France. D'abord la gestion des copropriétés, avec des missions de syndic, ensuite, il m'avait fallu faire mes classes dans le secteur de l'immobilier locatif, pour terminer par la vente des biens. C'est le contact humain, qui m'attirait dans ce métier.

Mes professeurs disaient de moi que j'étais douée d'empathie et dotée d'un grand sens de l'écoute. En fait, j'avais surtout besoin de me sentir utile. Aider une famille à choisir le nid douillet dans lequel elle pourrait s'épanouir, voilà qui me comblait !

Depuis deux ans, je secondais Geneviève Clary, la responsable de l'agence du centre-ville d'Aix-en-Provence. Cette femme de 50 ans m'avait prise sous son aile. Très vite, elle m'avait transmis toutes les ficelles du métier, n'hésitant jamais à me confier des dossiers complexes et à me mettre en première ligne sur des négociations difficiles et à forts enjeux. Aujourd'hui, je souhaitais voler de mes propres ailes et administrer une agence. N'avais-je pas suffisamment patienté ? Me sachant prête, Geneviève avait communiqué mon nom à Yann lorsqu'elle avait appris qu'il recherchait un dirigeant pour l'agence du Puy-en-Velay.

Durant ces deux années à Aix-en-Provence, j'avais vécu en colocation avec Claire, la fille de Geneviève, qui finissait ses études à l'école de journalisme et de communication d'Aix-Marseille.

Notre appartement, un loft situé place des Cardeurs, nous correspondait totalement. Tout nous rassemblait, Claire et moi. Nous avions la même taille, ce qui nous permettait de faire garde-robe commune, nous avions les mêmes goûts, les mêmes lectures… Claire m'avait immédiatement introduite dans son groupe d'amis. Quelles soirées mémorables nous avions passées à danser sur la musique des Rolling Stones, de Queen, ou à chanter les chansons de Téléphone. Avec elle, j'avais trouvé mon âme sœur. « Jamais l'une sans l'autre », c'était notre devise.

Nous communiquions souvent par codes : lorsque l'une de nous deux se grattait le milieu du front, il fallait que l'autre trouve une excuse pour nous faire quitter les lieux… Certains mots clés n'avaient de signification que pour nous seules, souvent une seule mimique suffisait. Dans le groupe, certains passionnés de parapsychologie nous prêtaient un don de télépathie.

C'est donc avec un grand déchirement que nous nous étions séparées lorsque j'avais appris que j'étais nommée directrice de l'agence du Puy-en-Velay.

Je soupirai pour chasser cette triste pensée et mis la radio. C'était ma façon à moi de faire cesser ce harcèlement de pensées intempestives et de rester concentrée en conduisant.

Il restait plus d'une heure de route. J'avais réservé une chambre dans le village de La Chapelle-Geneste, pour deux nuits, au

« Domaine des Fauvettes ». J'aurais ainsi le temps de réaliser la vente puis de chercher un appartement au Puy-en-Velay près de l'agence. Je connaissais bien la région. Native de Saint-Étienne, j'y avais vécu toute ma jeunesse, en revanche, je connaissais mal le secteur du Puy. Lorsque Yann m'avait demandé la veille de remplacer le responsable local Gilles Frémont chargé de cette affaire - malheureusement en prise avec une crise de coliques néphrétiques –, j'avais immédiatement accepté.

Faire d'une pierre deux coups, voilà qui me correspondait complètement.

Le GPS annonçait une arrivée imminente. J'avais prévu de déposer ma valise à l'hôtel, puis de me rendre chez le notaire pour régler les derniers détails, mais la route avait été plus longue que prévu avec ce détour à Clermont-Ferrand. La nuit tombait et l'étude notariale devait déjà être fermée.

Après un léger dîner au restaurant de l'hôtel, je montai rapidement dans ma chambre pour étudier le dossier.

***

Nous étions mandatés par la société civile Aqua Viva Immo pour acquérir un domaine de 25 hectares sur lequel se trouvait une source d'eau chaude.

Comme me l'avait précisé Yann, les documents présentaient des données chiffrées sur le forage de la source et les premières esquisses d'un programme de construction d'un complexe aqualudique. L'établissement à vocation thermale et médicale était estimé à plus de 50 millions d'euros…

Pour la bastide, rien n'était encore décidé. Le projet comportait deux variantes : soit une destruction pure et simple, soit une transformation en zone de repos. Le choix devait intervenir selon le potentiel du bâti, après une estimation du coût des travaux et des possibilités de transformation. Plusieurs croquis avaient été réalisés, mais il manquait quelques cotes pour finaliser le dossier. Albert Mansard, l'architecte avec qui nous avions l'habitude de travailler, nous avait donné des directives claires sur les mesures à prendre.

Je continuai à parcourir le dossier.

Le propriétaire était représenté par Madame Gisèle Maréchal, la veuve de Monsieur Denis Maréchal, un homme politique réputé, qui avait récemment succombé à une crise cardiaque. Comme l'avait dit mon patron, tout était en ordre.

« *Hakuna Matata !* », me dis-je en étirant mes bras vers le plafond.

C'était mon expression favorite, une sorte de *Carpe diem* rapportée d'Afrique, qui signifiait, « Y' a pas de problème ! » et dont j'usais quelquefois, soit pour exprimer un grand bonheur, soit pour me rassurer ou me donner du courage.

Fatiguée par le trajet, je m'endormis rapidement.

***

Le lendemain matin, m'étant réveillée tôt, je pris le temps de rêvasser à la fenêtre. Le rendez-vous n'était fixé qu'à 10 heures.

Au loin, les nombreux vallons qui encerclaient le village émergeaient doucement de la brume, alors que les pins sylvestres tentaient de secouer leurs cimes bleues, encore couvertes de givre. Vers le sud, en contrebas, juste après les pacages, la Snouire serpentait tranquillement entre les arbres jusqu'à l'Allier. Une véritable invitation au voyage.

Je soupirai d'aise en finissant de me préparer.

Je revêtis ma robe verte en laine et ceinturai ma taille d'une large bande de cuir noir. Claire m'avait fait promettre de porter cette tenue le jour de mon premier rendez-vous professionnel en tant que directrice. Elle avait raison, j'avais beaucoup d'allure avec cette robe qui mettait en valeur ma silhouette plutôt svelte. J'enfilai mes bottes de la même couleur que ma ceinture, puis mon manteau et mes gants. Il était temps de partir.

Le trajet fut rapide jusqu'à l'office notarial.

Dans le hall, la réceptionniste me sourit avant de me guider vers le bureau du notaire. Mon reflet dans la glace dévoilait une jeune femme brune, les cheveux mi-longs et d'étonnants yeux verts et dorés en forme d'amande.

Après m'avoir saluée, Maître Rousselet m'invita à entrer dans son bureau pour rejoindre les propriétaires qui venaient d'arriver.

– Mademoiselle Marianne Soulis pour la Société Logeathlon, annonça le notaire avant de me présenter ses clients : Madame Gisèle Maréchal, son fils Raphaël, sa fille Clélia.

Souriante et détendue, la famille Maréchal m'apparut sympathique. Je remarquai surtout

Gisèle, la mère, une femme de très grande classe et d'une extraordinaire beauté.

Le notaire allait nous inviter à nous asseoir lorsqu'un homme fit irruption dans le bureau. La secrétaire affolée le tirait par le blouson pour le retenir.

— Quel joli tableau ! ironisa l'énergumène.

Grand, brun, les cheveux hirsutes et une barbe de huit jours, l'individu détaillait la scène avec un regard furieux.

— Nathan ! s'écrièrent en même temps tous les membres de la famille Maréchal, manifestement surpris par sa présence.

Bouche bée, les yeux écarquillés, tous suivaient les gestes du gaillard qui s'avançait vers moi, l'air menaçant.

— Et vous, qui êtes-vous ? Quel est votre rôle dans cette farce ? jeta-t-il, d'un ton désobligeant.

Indignée, j'allais répondre, mais Maître Rousselet qui avait repris ses esprits avant moi, dégaina le premier.

– Monsieur, je vous interdis ! Ceci est un rendez-vous privé pour une affaire qui ne vous concerne en rien, je vous prie de…

Le jeune homme l'interrompit sans ménagement.

– Qui ne me concerne en rien ! Votre incompétence dépasse les bornes ! rugit-il.

Là encore, j'allais répondre en m'insurgeant, mais cette fois-ci, je fus prise de vitesse par Gisèle Maréchal.

– Je t'en prie, Nathan, calme-toi, je vais t'expliquer.

Nathan fit volte-face, pour se retrouver nez à nez avec elle.

– M'expliquer, mais m'expliquer quoi, chère belle-maman, que tu es en train de me spolier ?

– Non, je t'en prie, assieds-toi s'il te plaît, et parlons calmement.

Cette scène était surréaliste. J'essayais de comprendre. Qui était ce Nathan ? Je me souvenais avoir vu dans le dossier la procuration d'un certain Nathan Maréchal, le premier fils de Denis Maréchal. Le notaire fit une nouvelle tentative d'apaisement.

– Monsieur, acceptez de vous asseoir. Je vous en prie, prenez place, lui dit-il en lui présentant une chaise.

Puis, il se tourna vers sa secrétaire :

– Merci, Mariette, vous pouvez nous laisser.

Toujours prête à bondir, elle quitta le bureau à regret en jetant des regards suspicieux vers cet inconnu.

– Ainsi, vous êtes… ? reprit Maître Rousselet.

– C'est Nathan Maréchal, mon beau-fils, répondit Gisèle.

– Et accessoirement, le propriétaire en bien propre de la propriété que vous vous apprêtiez à vendre sans mon consentement, continua Nathan.

Piqué à vif, le notaire réagit immédiatement.

– Mais Monsieur, j'ai ici une procuration signée de votre main, dit-il en fouillant dans le dossier.

– C'est un faux, Monsieur, je n'ai rien signé de tel.

La tension déjà perceptible monta encore d'un cran. L'officier ministériel, interloqué, s'adressa à Madame Maréchal.

– Je ne comprends pas, qu'est-ce que cela veut dire ?

Alors que Gisèle, un peu gênée, cherchait manifestement une explication plausible, Raphaël sortit de son silence.

– Écoute, Nathan, nous avons tenté de te joindre à plusieurs reprises, depuis au moins trois mois... Sans succès. On nous a dit que tu étais en mission dans l'Antarctique pour une longue période, aussi, nous avons jugé opportun de signer une procuration en ton nom.

Sarcastique, Nathan se rapprocha de lui.

– Tiens, petit frère ! Tu as jugé opportun de ne pas attendre, mais pourquoi une telle précipitation ?

Se tournant vers moi, Raphaël Maréchal me prit à témoin.

– L'acquéreur est très pressé, son offre était à prendre ou à laisser, il fallait se décider rapidement.

Le regard noir de Nathan me transperça lorsqu'il m'adressa la parole pour la première fois.

– C'est donc le rôle du vautour que vous jouez, chère Mademoiselle.

L'attaque frontale me déstabilisa une seconde. Je me redressai rapidement.

– D'hirondelle, cher Monsieur, lui renvoyai-je, c'est l'emblème de la société que je représente.

Ma sortie eut pour effet de détendre un peu l'atmosphère. J'en profitai pour reprendre la main d'un ton ferme.

– La seule question qui se pose aujourd'hui est de savoir si vous êtes vendeur, Monsieur Maréchal. L'êtes-vous ?

– Je veux examiner l'offre, répondit Nathan Maréchal, et savoir à qui j'ai à faire. Mais je veux aussi comprendre pourquoi cette vente concerne tous les membres de cette famille.

– Que voulez-vous dire ?

– Comme je vous l'ai indiqué, le domaine est un bien qui me vient de ma mère, je ne suis pas spécialiste, mais je m'étonne. Ne suis-je pas le seul à pouvoir le vendre ?

Maître Rousselet, livide, bredouilla.

– Heu... Je peux vous assurer, Monsieur Maréchal, que tout a été fait dans les règles de l'art.

– Vraiment ?

Le ton de Monsieur Maréchal junior était cassant.

– Si vous le permettez et pour en être certain, j'aimerais avoir une copie de tout le dossier.

Il se tourna à nouveau vers Gisèle Maréchal.

– Qu'est devenu le notaire de mon père ? Pourquoi n'est-ce pas lui qui s'occupe de cette affaire ?

– Eh bien, Maître Savine a vendu son étude il y a quelque temps et j'ai déjà traité quelques contrats avec Maître Rousselet, alors cela m'a paru naturel de continuer avec lui.

– Hum, bien commode, n'est-ce pas, lui ne me connaissait pas.

Clélia Maréchal qui n'avait rien dit jusqu'ici s'avança vers son frère et lui caressa le bras.

– Comme tu y vas Nathan, Maman a fait au mieux. Tu sais, depuis le décès de Papa, elle a dû faire face à beaucoup de difficultés et régler beaucoup de problèmes.

Baissant sa garde, il lui sourit.

– Bien sûr, petite sœur… Oui, je comprends.

Il semblait un peu calmé.

De mon côté, j'étais perplexe, il paraissait évident que ce dossier n'avait pas été traité de manière sérieuse. J'avais suivi le notaire dans le couloir pour lui demander, moi aussi, une copie de tous les documents. Il me fallait tout reprendre et je comptais bien m'atteler au plus vite à la compréhension de ce cas complexe.

Le mieux était de prendre congé. Je laissais mes coordonnées pour convenir d'un prochain rendez-vous. J'allais partir, quand Nathan Maréchal me rattrapa.

– Ne partez pas, l'hirondelle, j'ai besoin d'en savoir plus pour répondre à votre question. Pourrions-nous continuer cette conversation ailleurs ?

Impossible de lui dire que je ne connaissais pas suffisamment le dossier pour en discuter dans l'immédiat. Je décidai de botter en touche. Par professionnalisme bien sûr, mais aussi par fierté : je ne souhaitais pas être prise en défaut par cet escogriffe.

– Désolée, j'ai plusieurs rendez-vous aujourd'hui que je ne peux pas me permettre de déplacer.

– Alors, disons ce soir.

Devant mon hésitation, il argumenta :

– Je dois vous préciser que je n'ai que deux jours devant moi et j'ai besoin d'en savoir plus sur votre projet. Où êtes-vous descendue ?

– J'ai une chambre au « Domaine des Fauvettes ».

J'acceptai un dîner de travail avec lui, le soir même, à mon hôtel.

2

Un dossier complexe

En quittant l'étude, le dossier « Domaine Maréchal » précieusement rangé dans ma sacoche, je décidai de passer voir la propriété de La Chapelle-Geneste, objet de tous les désirs. Je garai ma voiture sur le trottoir d'en face.

Derrière un grand carré de verdure ombragé par deux imposants tilleuls, la façade donnait à voir un bâtiment en pierre, de deux étages, accolé à une grange. Il s'agissait clairement d'une ancienne borie, une maison de ferme dont l'importance et le nombre de granges ou de dépendances indiquaient l'envergure du domaine.

Je m'approchai jusqu'à la porte d'entrée. La qualité des boiseries révélait des travaux de rénovation récents, mais totalement intégrés dans l'esprit du lieu. J'étais impressionnée par la prestance de cette demeure qui semblait vouloir me raconter son histoire.

Malgré plusieurs tentatives, il me fut impossible d'en apercevoir davantage. L'essentiel de la maison donnait sur une cour intérieure, invisible depuis la route. Tout près de là, l'église, un ancien prieuré, dépendant de l'abbaye de La Chaise-Dieu, montrait sous le toit des modillons de pierre sculptés d'animaux stylisés.

« *Vraiment charmant* », jugeai-je en mon for intérieur.

Curieuse, je décidai de rentrer immédiatement à l'hôtel pour en apprendre davantage.

Assise devant une tasse de thé, je me remémorai les dires de Nathan Maréchal. Étonnamment, cet homme m'était apparu en même temps véritablement goujat, mais aussi parfaitement sincère, voire, vulnérable. J'avais hâte de mieux le connaître pour comprendre son histoire.

***

J'avalai mon thé bouillant tout en émiettant une tranche de cake, entre mes doigts.

Le contenu des actes indiquait que Nathan était le fils aîné de Denis Maréchal.

Denis avait épousé en premières noces Lucile Chevalier, avec qui il avait eu un garçon, Nathan. Lucile était décédée en laissant Nathan orphelin, à l'âge de deux ans.

Un an plus tard, Denis s'unissait à Gisèle Philippon, avec qui il avait eu deux enfants, Raphaël et Clélia.

Il me fallait absolument trouver le régime matrimonial de ces deux unions, pour élucider cette affaire de biens propres dont avait parlé Nathan. Je feuilletai fébrilement le reste du dossier. Le certificat de mariage de Denis Maréchal et de Lucile Chevalier faisait état d'une alliance sous communauté de biens. Il n'y avait pas eu de contrat de mariage, ce qui paraissait étonnant, compte tenu de la dot apportée dans la corbeille par Madame Chevalier.

Pour la seconde union, les époux avaient choisi la séparation de biens ce qui garantissait à chacun de garder la propriété des biens acquis avant le mariage. Je n'étais pas une spécialiste du droit matrimonial, mais je gardais en mémoire le fait que, dans ces conditions, ni Gisèle ni ses enfants n'auraient dû disposer de droits sur le patrimoine de la mère de Nathan.

Je devais absolument me faire préciser les règles juridiques applicables, aussi, je décidai d'appeler immédiatement mon père, notaire de son état.

Il décrocha dès la première sonnerie.

– Allô ?

– Papa, c'est moi.

– Marianne, ma chérie, je suis heureux de t'entendre. Comment vas-tu ? Tu veux parler à ta mère ?

– Bonjour, Papa. Je vais très bien et non, c'est à toi que je veux parler. Je travaille sur une transaction un peu compliquée et j'ai besoin de tes lumières.

– Je t'écoute, mais j'ai très peu de temps : je pars en réunion d'ici dix minutes.

– Alors voilà, je t'expose la situation et j'aimerais que tu me rappelles le plus tôt possible, dès que tu auras les réponses.

Je pris une grande respiration et énonçai les éléments en espérant être la plus précise possible.

– Voici les faits : une femme X, mariée sous le régime de la communauté possède des biens propres hérités de ses parents. Elle décède en laissant un fils de deux ans. Son époux, Y, se remarie et fait deux enfants à sa seconde femme, Z. J'en viens à ma question : lors du décès de l'époux Y, qu'en est-il des biens propres de la première femme X ? Voilà, Papa, l'exposé est-il suffisamment clair pour que tu puisses m'apporter une réponse rapide ?

Il y eut un silence qui me parut durer une éternité, puis mon père éclata de rire en comprenant mon impatience.

— J'ai besoin de plus de précisions, il me faudrait au moins les certificats de mariage et les extraits de naissance.

— J'ai un dossier numérique, je peux te le transmettre.

— Bien, alors envoie-moi ce que tu as et je demanderai à Philippe de travailler dessus. Je te rappelle dès qu'il aura trouvé, mais il faut lui donner un peu de temps.

— Papa, tu es formidable, comme d'habitude, et je n'en attendais pas moins de toi !

— Bon, je dois te laisser, fais-moi passer les documents rapidement.

— Embrasse Maman très fort pour moi, dis-lui que je passerai bientôt vous voir.

En épluchant le reste des pièces du dossier, je m'aperçus que le domaine n'était pas le seul bien laissé par la mère de Nathan. Il y avait également des terres, des forêts et une scierie, que dirigeait Raphaël, son demi-frère. Je transférai les papiers immédiatement à Philippe, le clerc de notaire de mon père, avec mes questions précises.

Je profitai du reste de l'après-midi pour me détendre un peu et faire une petite balade. Le patron de l'hôtel m'avait fourni un plan et conseillée pour une courte promenade.

Suivant ses indications, je tournai à droite en quittant l'établissement. Une fois passé le petit pont jeté sur un ruisselet, je relevai la capuche de mon anorak et enfonçai mes mains dans mes poches. L'air était vif et piquant. Je me laissai aller à écouter bruire doucement les pins. Je m'arrêtai un instant à l'un des détours de l'allée, et tendis l'oreille : « Cri huit… pschui… prruî… » – sûrement un pinson.

Il me semblait entendre au loin le grondement de la Snouire.

J'avais dû m'éloigner plus que prévu. Le retour fut plus chaotique, car le froid était devenu plus intense à la nuit tombante. À peine arrivée, je me fis couler un bain chaud, il était temps de me préparer.

Mes pensées restaient fixées sur Nathan et son domaine.

***

Il était 19 heures 30 lorsque je le rejoignis dans la salle du restaurant. Assis au bar, il grignotait des cacahuètes tout en plaisantant avec la serveuse. Rasé de près, coiffé, vêtu d'un pull bleu et d'un pantalon gris foncé, il avait fière allure. Il émanait de lui une force tranquille et en même temps une énergie palpable. Je remarquai une lueur d'intérêt dans son regard lorsqu'il tourna les yeux vers moi.

– Ma chère, vous êtes sublime, dit-il avec un sourire enjôleur.

– Vous n'êtes pas mal non plus, m'entendis-je lui répondre. Mais, trêve de plaisanterie, vous vouliez me parler de votre dossier, non ?

Je cachai le trouble qu'il avait provoqué en moi sous un ton très professionnel. Galamment, Nathan éloigna la chaise de la table pour me faire asseoir.

– Oh ! Je vois, j'ai affaire à une mordue du boulot, dit-il en se calant sur son siège.

– En effet, je suis ici pour régler une vente que vous avez empêchée, j'ai droit à des explications, n'est-ce pas ?

– C'est de cette façon que vous résumez la situation ? Dans ce cas, je crains que nous n'ayons pas grand-chose à nous dire.

Je l'empêchai de se lever.

– Ne partez pas, j'ai été maladroite. Je suis désolée. Restez, je vous en prie, j'ai vraiment besoin de comprendre.

– Et moi, j'ai besoin de savoir comment vous avez pu être aussi négligente.

Il avait posé la question d'un ton glacial et amer. Ses lèvres tremblaient encore de colère. Je tentai de le calmer.

– Écoutez, je vous propose de tout reprendre à zéro. Je dois vous avouer que je n'ai vraiment pu prendre connaissance de votre dossier que depuis hier. Mon collègue, qui a suivi la transaction, a été hospitalisé en urgence et j'ai dû le remplacer. Ce n'est pas une excuse, je l'admets, mais j'aimerais reprendre l'ensemble des éléments avec vous. Vous êtes d'accord ?

Nathan acquiesça.

Nous avions commandé tous les deux une truite accompagnée de légumes de saison gratinés au cantal. Les assiettes servies étaient très chaudes, et le soin pris par la serveuse pour la découpe des truites nous permit de nous observer tranquillement, avant le grand round. Après l'avoir goûté, Nathan fit un signe de la tête pour montrer son assentiment sur le vin. Je bus une gorgée du Pouilly-Fruissé qu'il avait choisi.

– Excellent choix. Commençons par le début, parlez-moi de vous. Qui êtes-vous, Nathan Maréchal ?

Il m'expliqua qu'il était le premier enfant de Denis Maréchal.

– Le fils d'un premier mariage, précisa-t-il.

Il avait très peu de souvenirs de sa petite enfance auprès de ses deux parents. Il lui restait de rares images de sa mère. À force de chercher dans sa mémoire, il se rappelait, par bribes, quelques scènes. Il se revoyait dans les bras d'une maman câline, aimante, mais souvent malade. Elle s'appelait Lucile.

– Lucile Chevalier ? J'ai vu son nom dans le dossier.

– Oui, Lucile Chevalier était ma mère. Elle a disparu un soir d'hiver, j'avais à peine deux ans. Un matin, après m'avoir déposé à la crèche, elle s'est rendue à son bureau, à la scierie, comme d'habitude. Elle est rentrée à la maison en début d'après-midi, mais ensuite c'est un grand mystère, personne ne sait ni ce qu'elle a fait ni où elle est allée. Ce qui est certain c'est qu'elle n'est jamais revenue. La police, mon père, leurs amis, tous l'ont cherchée partout pendant des jours et des jours. En vain. Je n'ai jamais oublié les journées qui ont suivi sa disparition. L'ambiance à la maison était insoutenable. Mon père était très abattu. C'est à partir de ce moment-là que lui et Gisèle se sont rapprochés..., ils étaient amis depuis l'enfance.

— Elle n'a jamais été retrouvée ?

— Non, jamais ! La police a mené une longue enquête. Puis, au bout de plusieurs mois, un juge a déclaré le décès.

Nathan m'expliqua que Gisèle Philippon était venue vivre avec son père. Ils s'étaient mariés et avaient fait construire une nouvelle maison où ils s'étaient installés. Raphaël et Clélia étaient nés peu de temps après.

Lui, adolescent rebelle, avait été envoyé dans un pensionnat en Suisse. Plutôt doué en mathématiques, en géographie physique et en chimie, il s'était pris de passion pour la climatologie.

— Vous savez, la qualité de l'eau ou de l'air comme le réchauffement climatique sont devenus des préoccupations majeures. Il nous faut mener des études sur le long terme pour prévoir les évolutions du climat et les conséquences possibles sur l'homme. J'ai trouvé ma vocation.

Pendant ses études, il avait pu effectuer une mission au Groenland avec Valérie Masson Delmotte, une grande scientifique qui lui avait tout appris sur l'analyse des climats passés, en mesurant des carottes de glaces. Il l'avait suivie un peu partout où avaient eu lieu des catastrophes naturelles, inondations, coulées de boues, pour recueillir des données, comprendre les faits passés pour mieux anticiper de futurs phénomènes.

Il avait beaucoup travaillé en tant que chercheur, croisé de nombreuses données : les précipitations, la pression atmosphérique, le vent, la température de l'air ou des océans… Ses travaux étaient reconnus par une communauté de scientifiques dont la voix comptait dans les plus hautes instances mondiales.

Solitaire, il passait la majeure partie de son temps en mission au bout du monde, de l'Arctique à l'Antarctique, ce qui le rendait injoignable pendant des mois entiers.

– Mais vous avez été informé de l'état de santé de votre père ?

Son regard se voila.

– Oui, Gisèle m'a fait prévenir lors de son premier infarctus et j'ai pu rentrer en France pour profiter de ses derniers moments.

– Vous saviez qu'il était cardiaque ?

– Non, mon père était un homme hors-norme, un battant, de ceux qui comptent, un homme que l'on aurait pu suivre au bout du monde. Il a mené une longue et belle carrière politique jusqu'à ce que d'odieuses accusations soient portées contre lui.

– Quel genre d'accusations ?

– Corruption, trafic d'influence… Lui ! Il a vite été disculpé, mais je suis persuadé que ce sont ces calomnies qui ont provoqué son premier infarctus. Ma mère était follement amoureuse de lui, il me l'a raconté. J'ai parfois l'impression d'en avoir gardé quelques souvenirs : son regard aimant, ses attentions envers lui… Il m'a beaucoup parlé d'elle surtout sur la fin, de son amour pour elle qu'il n'a pas su lui prouver, de sa peine, de sa détresse, de son incompréhension lorsqu'elle a disparu. Il s'est excusé de m'avoir imposé sa nouvelle femme si rapidement et de m'avoir envoyé en pension au lieu de me garder près de lui, mais Gisèle l'avait tellement soutenu... Bref, à sa façon, il m'a dit à quel point il m'aimait.

– Si vous voulez bien, j'aimerais y voir plus clair sur vos héritages respectifs. Votre mère avait un patrimoine important, n'est-ce pas ?

– Oui, l'héritage de mes grands-parents maternels était conséquent.

– Il y a le domaine comprenant la bastide et le terrain, mais également la scierie, des terres et des forêts.

– Oui, c'est bien cela.

– Qui s'est occupé de la succession ?

– Le décès de ma mère a été déclaré environ un an après sa disparition, cela faisait suite à une longue enquête judiciaire. C'est Maître Savine qui a suivi la succession de la famille Chevalier.

J'avais trois ans à l'époque, c'est mon père qui a tout géré.

— Vous ne vous êtes jamais préoccupé de votre patrimoine ?

— Non, pas vraiment. Mon père m'a fait signer des papiers bien plus tard pour permettre à Raphaël et à Clélia d'être héritiers de la scierie et des forêts. C'était un juste retour des choses, Raphaël assure la direction de l'entreprise depuis longtemps. Clélia, elle, a toujours accompagné la carrière de mon père, d'abord en tant qu'assistante parlementaire, puis au conseil municipal où elle est toujours restée à ses côtés. Mais jamais il n'a été question de vendre le domaine et la bastide, JAMAIS !

— Vous n'avez pas été averti du projet d'exploitation d'une station thermale ?

— De l'exploitation d'une station thermale ?

— Je suis mandatée par une société qui souhaite exploiter la source thermale qui…

— Une source thermale exploitable ? Mais de quoi parlez-vous ?

Nathan semblait sincère, sa surprise était totale. Je lui promis de lui faire un double du dossier en ma possession.

La soirée se termina agréablement. À ma demande, Nathan me conta sa vie dans l'Antarctique. Il était basé dans la baie de Neko Harbour, un espace enclavé par des montagnes couvertes d'une épaisse couche de neige. Dans ce continent le plus froid, le plus sec et le plus venteux de tous, les températures parvenaient à chuter jusqu'à moins 90 dégrés. Il trouvait naturel que ce territoire de plus de 14 millions de kilomètres carrés, constitué de glace, d'icebergs et de falaises, soit devenu son quotidien durant plusieurs mois de l'année.

Il me parla avec ardeur de la beauté de paysages sereins, calmes et reposants, loin du tumulte des hommes. Il dépeignit avec talent les glaciers d'une blancheur immaculée, les eaux turquoise entre le Pacifique et l'Atlantique, considérées comme les plus pures au monde.

J'appris que seuls les plantes et les animaux adaptés au froid, au manque de lumière et à l'aridité pouvaient survivre. Il me fit rêver en décrivant le spectacle unique des cristaux de glace illuminés par les aurores boréales. Il me conta la banquise, les ours, les relations entre les êtres dans des conditions inhumaines…

J'étais subjuguée par son récit, par sa passion, par cet homme si étonnant. Nous nous quittâmes tard dans la soirée, en nous donnant rendez-vous à la scierie en milieu de matinée du lendemain. Son frère Raphaël et sa sœur Clélia nous y attendraient pour une visite guidée de l'entreprise familiale.

3

Une affaire de famille

Pour la première fois depuis plusieurs semaines, le thermomètre était remonté à 2 degrés au-dessus de zéro. Cette douceur relative, et l'arrivée du soleil qui avait enfin réussi à se frayer un chemin entre les nuages m'avaient mis de bonne humeur.

Il était 10 heures passées lorsque j'arrivai à la scierie. En sortant de ma voiture, j'observai Raphaël et Clélia venus m'accueillir dans la cour pavée, située devant l'entrée du bâtiment principal.

Contrairement à la veille, où je l'avais trouvé plutôt effacé et terne, je découvrais un Raphaël affairé et enjoué. Âgé d'une trentaine d'années, un peu plus petit que son frère, il portait, non sans élégance, une veste de tweed ajustée sur un col roulé cachemire, bleu marine. Ses cheveux très courts, blond cendré, encadraient un visage carré, illuminé par des yeux bleus pétillants semblables à ceux de Nathan. Il arborait le même sourire charmeur en s'avançant vers moi, les mains tendues.

Clélia avait tout de sa mère. Comme elle, elle était grande avec une longue cascade de cheveux roux, mais contrairement à la femme flamboyante que j'avais rencontrée chez le notaire, on sentait chez la jeune fille une sorte de souffrance sourde, une certaine tristesse qui ternissait ses jolis yeux verts. C'était à peine perceptible, une ride sur le front, un léger rictus au coin de la bouche. Elle se ressaisit à mon approche et me fit la grâce de son plus beau sourire.

Nous décidâmes de commencer la visite sans attendre Nathan. En désignant les bâtiments du doigt, Raphaël m'expliqua avec beaucoup de fierté que la société avait été créée en 1940 par André Chevalier. Son père Denis n'avait intégré l'entreprise qu'en 1967, en tant que directeur.

C'était un peu plus de deux ans avant son mariage avec Lucile, la fille d'André, le fondateur. Grâce à son implication, son génie commercial et un style de management adapté, celui-ci avait fait passer la scierie d'un débit de 500 à 2 000 mètres cubes par an, dès 1968.

Devant mon incompréhension, Clélia me montra des pièces de bois.

– Voilà le parc à grumes, me dit-elle en me laissant passer devant elle.

Dans une deuxième cour se trouvait un stock de troncs encore recouverts de leur écorce. J'acquiesçai, impressionnée. Raphaël précisa :

– Deux essences sont utilisées dans notre scierie, le sapin blanc et l'épicéa, qui représentent 80 % du massif forestier local, puis le Douglas rouge des forêts de Bonneval ou de Collat, recherché pour son utilisation en extérieur.

– D'où provient le bois ?

Il dut hausser le ton pour couvrir le bruit des scies en actions.

– De forêts privées, en circuit court, le bois est acheminé par des transporteurs locaux, et tout ce qui n'est pas utilisé par l'entreprise est valorisé au plus près. On récupère les écorces pour en faire du combustible et la sciure est confiée à un marchand de granulés. Une entreprise de réinsertion basée dans le village voisin se charge des fagots pour la chaufferie de la commune. C'est mon père qui en avait eu l'idée, dès son premier mandat de maire du village.

Alors que nous nous dirigions vers une sorte de grand hangar, Clélia me proposa un casque contre le bruit. En effet, alors que nous approchions du banc de sciage où les billes de bois étaient déposées pour être débitées, une par une, le bruit devint assourdissant. Raphaël coupa l'alimentation de la machine et reprit ses explications en approchant de la scie à ruban.

– En fonction des commandes, l'opérateur saisit l'épaisseur voulue, tout est prédéfini et entré dans l'ordinateur. Voyez, la grume passe devant des caméras qui vont la mesurer pour optimiser la production des planches et obtenir le meilleur rendement possible.

Raphaël remit la machine en marche et me guida pour revenir vers la deuxième cour.

– On doit d'abord découper et trier les grumes, en retirer l'écorce en billons, puis les transformer en produits finis, sous forme de plots, de poutres ou de planches. Voici la scie de tête, là, la scie circulaire ébouteuse, à côté, la scie de reprise et la déligneuse circulaire...

Nous avions pratiquement terminé la visite lorsque Nathan nous rejoignit enfin. Après des embrassades qui paraissaient sincères, Raphaël se tourna vers moi.

– L'entreprise est restée familiale et l'ambiance de travail s'en ressent. Les employés en sont conscients, aussi, ils ajoutent l'ardeur à leur compétence pour fournir la qualité la meilleure, un critère incontournable, pour faire face à la concurrence. Venez, je tiens absolument à vous montrer quelque chose.

Ce disant, il me prit par le bras pour me conduire vers une pièce spécifique.

– Voici la concrétisation d'une idée de Clélia, dit-il en entrant dans une sorte de salle de classe. La société propose du lamellé-collé, or le travail manuel étant encore victime d'a priori, les lycées n'ont pas suffisamment d'élèves dans cette partie de la filière bois, alors nous proposons une formation sur place en coopération avec la filière technique du lycée.

De grandes règles en métal jonchaient les établis, au milieu des lamelleuses électriques. J'étais véritablement captivée. De son côté, Nathan restait totalement silencieux. Les deux frères me guidèrent vers le bureau de Raphaël, à l'intérieur d'un troisième bâtiment datant de la même époque.

La pièce sentait bon la cire et les vieux livres. Comble du raffinement, des soubassements en boiseries murales créaient une ambiance chaleureuse et conviviale. Un immense bureau de ministre surplombait l'endroit. On voyait l'usure du temps sur la marqueterie en bois précieux à décors géométriques du bureau style Louis XV.

– C'était le bureau de mon père, souligna Raphaël en m'offrant une chaise. Je n'ai rien changé.

– Cette pièce est magnifique, on y sent comme une présence, celle de votre père, j'imagine.

Il retira sa veste et passa la main dans ses cheveux, remontant de courtes mèches.

– Et aussi celle du fondateur de la société André Chevalier, le grand-père de Nathan. Rien n'a changé. Les seules transformations sont liées à l'utilisation des ordinateurs et d'Internet.

– Quels sont vos rôles respectifs dans la société aujourd'hui ? demandai-je, consciente de l'indiscrétion de ma question.

– La scierie est une SARL familiale dont je suis le directeur général. J'assure la partie commerciale et la direction de la scierie. J'y consacre tout mon temps pour mon plus grand bonheur, précisa Raphaël avec un grand sourire. Clélia tient les commandes de la communication de l'entreprise, elle suit les ateliers de formation et m'épaule sur la partie administrative. Ma mère et Nathan siègent à une sorte de conseil d'administration que nous avons mis en place, leurs voix comptent dans les décisions à prendre.

J'aurais aimé que Nathan s'exprime, mais il gardait un silence inquiétant.

– Vous êtes donc tous propriétaires de la société ?

– Avant sa mort, et avec mon accord, mon père a fait valoir une clause de mise en communauté de la scierie et d'une partie des forêts qui provenait de l'héritage de ma mère. De ce fait, la scierie appartient à toute la famille Maréchal dans sa version recomposée.

Nathan parlait maintenant d'un ton dégagé, presque amusé, mais surtout sans aucune amertume. Il se tourna vers son frère et sa sœur :

— Raphaël et Clélia font un excellent boulot, je suis très fier d'eux et il n'y a aucun souci sur ce point.

Clélia vint se blottir dans les bras de son frère.

— Parlez-moi de votre père…

***

Plusieurs secondes s'écoulèrent avant qu'ils ne me répondent. Raphaël se lança le premier.

— Il y a beaucoup à dire sur mon père, c'était un homme remarquable. Il avait un grand sens de l'humain, mais il était également très doué pour les affaires et, ce qui est assez rare, il a toujours su jongler en respectant les deux. Il a été élu le plus jeune maire de France dans les années 70, alors que dans le même temps, il développait la scierie en la modernisant.

— Il partageait son temps entre l'Auvergne et Paris, reprit Clélia, vous savez, il a même été le conseiller d'un futur président de la République. Papa était très respecté dans un monde où tous les coups sont permis, soupira-t-elle.

– Qui tenait la scierie à l'époque ?

– Lui et mon grand-père André.

Nathan se leva pour me montrer une photo encadrée sur laquelle on pouvait voir les deux hommes et une toute jeune femme.

– Ma mère travaillait là, elle aussi. Elle tenait la comptabilité.

Je compris qu'il s'agissait de Lucile.

– Ensuite, il a été élu député de la première circonscription du Puy-en-Velay.

Raphaël s'assit en face de moi.

– Mon père était un vrai gaulliste. Démocrate et républicain, il savait de quoi il parlait, il a beaucoup œuvré pour le département et pour les « Bougnats » en général.

– Les « Bougnats » ?

– C'est comme ça que l'on appelait les personnes originaires de l'Auvergne et immigrées à Paris. D'abord porteurs d'eau, ils ont vite excellé dans le commerce du bois puis du charbon et enfin dans les débits de boisson où ils vendaient du vin et de la limonade. Ils se sont regroupés pour former une communauté qui est toujours présente aujourd'hui.

— Papa a collaboré à de grands changements, dans le domaine fiscal, sur le droit des sociétés, ou pour la gestion des collectivités, souligna Clélia. Il était très préoccupé par le développement de notre commune et son rêve absolu était de l'équiper d'une station thermale, qui favoriserait le tourisme, d'où le projet de Maman.

Je sentis Nathan se crisper. On arrivait enfin au cœur du problème qui me préoccupait.

— Depuis longtemps Papa était persuadé de trouver une source d'eau chaude sur la commune. Son souhait était de développer une activité thermale qui permettrait d'accroître les possibilités d'emplois. Il a passé plusieurs années à faire effectuer des prélèvements, jusqu'au jour où il a trouvé son Graal.

– C'était quand ? demanda Nathan d'un ton sec.

Troublée, Clélia se mordit la lèvre inférieure.

– Heu… Il y a un peu plus d'un an, je crois.

Ses yeux cherchaient ceux de Raphaël qui précisa :

– C'était environ six mois avant sa mort. Tu vois Nathan, je me souviendrai toujours des larmes qui coulaient sur ses joues lorsqu'il a reçu le rapport des ingénieurs consultés. Je crois que cette nouvelle a largement adouci ses derniers instants.

Nathan laissa échapper une sorte de grognement. Lorsqu'il reprit la parole, le scepticisme perçait dans sa voix. Il se tourna vers moi.

– J'aimerais voir le rapport et le projet que vous défendez. Je dois repartir, dès demain, pour une mission assez courte dans l'Antarctique, je serai de retour dans un mois environ. C'est à ce moment-là que je vous donnerai ma réponse au sujet de la vente. Est-ce que cela vous satisfait ?

Je réfléchis un court moment.

– Disons que je serai en mesure de vous faire passer un dossier en début d'après-midi, cela vous convient-il ? Quant au délai imposé, je crains de ne pas avoir le choix, n'est-ce pas ?

Le téléphone qui sonnait mit fin à la conversation. Pendant que Raphaël répondait, Clélia m'accompagna à ma voiture. Nathan devait rester pour signer des papiers.

***

Pensive, je regagnai ma voiture. J'avais obtenu de la famille un trousseau de clés pour pénétrer dans la bastide et prendre les mesures dont j'avais besoin. J'irais en début d'après-midi, après avoir déposé le dossier pour Nathan Maréchal. Encore fallait-il que je trouve un endroit où le photocopier… J'avais également besoin d'acheter une nouvelle cartouche d'encre pour mon imprimante portable.

Il me restait peu de temps. Je décidai de passer rapidement à mon hôtel prendre les documents, avant de filer directement vers La Chaise-Dieu à la recherche d'un service de reprographies.

« *Hakuna Matata !* » Je ne doutais pas que l'on soit sur la bonne voie.

Je connaissais la ville grâce à mes parents qui m'avaient conduite au festival de La Chaise-Dieu, pendant nos vacances d'été.

– Un élément culturel important pour la région que nous ne devons pas rater, m'avait assuré mon père.

Nous étions venus quelques jours avant le festival pour visiter l'abbaye du XIe siècle. Je me rappelais encore une grande fresque, *la Danse macabre,* une œuvre fascinante représentant l'idée de l'égalité face à la mort, en montrant les puissants, les marchands et les gens du peuple accueillis par les morts. Je me souvenais surtout de la salle de l'Écho de l'Abbaye.

Mon père m'avait placée à un angle pendant que ma mère chuchotait à l'angle opposé. C'était surprenant, j'entendais son chuchotement aussi bien que si nous avions été à côté l'une de l'autre. Mon père m'avait expliqué que, d'après la légende, cette salle avait servi aux confessions des lépreux, leur permettant ainsi d'avouer leurs péchés sans risquer de contaminer le prêtre...

Mes parents étaient, tous deux, des personnes merveilleuses. J'avais grandi à Saint-Étienne, entourée de leur amour. Petite fille j'avais apprécié la tendresse de ma mère, nous étions fusionnelles... Un peu plus tard, dès l'entrée dans l'Œdipe, j'avais changé l'objet de mon affection en recherchant le cœur et les faveurs de mon père. J'aimais cette complicité qui nous unissait.

Leur couple était solide, à l'épreuve du temps. J'aimais notre confiance mutuelle qui m'avait permis de me construire. J'étais bien consciente de ma chance. Ils m'avaient toujours protégée, mais ils avaient aussi souhaité me rendre responsable de ma vie, de mes choix.

C'est à partir de 18 ans que je m'étais réellement affirmée. Karen – ma meilleure amie depuis la maternelle –, et moi étions parties tout l'été au Kenya. Un voyage initiatique à la recherche d'une spiritualité ou, plus simplement, à la découverte de nous-mêmes. Nous avions un itinéraire précis qui démarrait par un court séjour à Nairobi. Une façon pour nous de nous imprégner de l'Afrique en douceur avant de commencer notre périple. Puis ce fut l'immersion au pays des Maasaï.

Une rencontre unique avec un peuple d'éleveurs-guerriers pour qui toute chose fonctionne pour vivre en harmonie. D'inoubliables moments de partages autour de leur culture et de leur spiritualité. Avec eux, j'avais appris à me centrer pour retrouver mon équilibre et la paix de mon esprit.

Pendant les semaines qui suivirent, le sac au dos, nous avions traversé les plus grands parcs. Comblées par le spectacle chaque jour renouvelé que nous offrait la brousse, nous étions éblouies :

la grâce inimitable des girafes, les hordes de buffles et de zèbres, et, tout à coup, ce lion déambulant devant nous dans la savane.

Ensuite, ce furent les hauts plateaux, les forêts, les lacs puis les dunes et la mer à Mombassa. C'est là que j'avais entendu pour la première fois ce motto Kenyan : *Hakuna Matata !*

J'arrivai à La Chaise-Dieu. Une fois de plus, j'avais accordé à ma conscience de se laisser attirer dans un brouhaha mental. Je me promis de renouer dès le lendemain avec les préceptes Maasaï pour reprendre en main le gouvernail de mon esprit.

Dans le centre-ville, je m'arrêtai devant une librairie qui disposait d'un photocopieur en libre-service. Une fois le dossier constitué, je profitai de mon passage en ville pour faire quelques courses. Je devais en convenir, j'adorais les voyages, mais je n'étais pas faite pour cette vie de nomade. J'en avais assez de résider à l'hôtel, j'avais besoin d'une tanière, d'un antre, d'un chez-moi, et vite !

4

Une étonnante découverte

Comme convenu, je déposai le dossier à l'adresse indiquée par Nathan, dans la boîte aux lettres d'une grande maison à la sortie du village. À qui appartenait cette maison ? J'en avais un peu assez de cette famille, pourtant, je devais rester concentrée sur ma mission.

Yann, que j'avais joint par téléphone, avait admis que je n'avais pas le choix. Ce nouveau délai imposé par l'aîné de la famille Maréchal n'était pas négociable, il faudrait donc faire avec…

Malgré l'échec provisoire de la transaction, il me confirma sa décision de me confier l'agence du Puy-en-Velay. Toute l'équipe en place m'attendait de pied ferme. Je devais les retrouver pour une présentation officielle dès le lendemain.

Rassérénée et un peu excitée, je repris ma voiture pour me diriger vers la bastide familiale. J'allais enfin voir l'intérieur de cette fameuse demeure qui aiguisait tant ma curiosité.

Devant la maison, s'étendait une vaste terrasse pavée et abritée par deux magnifiques et immenses tilleuls qui, de toute évidence, prodiguaient une ombre salutaire au plus fort de l'été. Le tout conférait à l'habitation une ambiance paisible et heureuse.

Non sans une certaine émotion, je tournai délicatement la clé dans la serrure pour ouvrir l'imposante porte en bois. Le rez-de-chaussée était très sombre, j'allumai ma lampe-torche à la recherche du commutateur électrique.

À la droite de la porte d'entrée, je discernais une salle qui me parut démesurée. Non sans mal, je repérerai enfin le commutateur. La lumière qui jaillit illumina, çà et là, quelques meubles recouverts de housses blanches. Sur la gauche, on découvrait les traces d'une ancienne cuisine, une vaste pièce. Le foyer d'une imposante cheminée rappelait que les dîners devaient être pantagruéliques. « *Un ancien hôtel peut-être ?* » Je me promis de faire des recherches.

Il était évident que cette maison avait subi de profondes transformations au fil des ans. Pourtant, il restait comme une âme, comme une flamme, un fil conducteur qui laissait penser que les habitants avaient toujours été en sécurité en ces lieux.

Je devais me ressaisir. Au diable ce sentimentalisme qui m'emportait !

Je grimpai au deuxième étage et j'ouvris les volets en bois. J'étais là pour une raison précise, je devais effectuer des relevés. Armée de mon télémètre laser, je commençai à compléter les plans fournis par l'architecte. Quelques mesures étaient manquantes, il me faudrait au moins une heure pour répondre aux points d'interrogation et compléter le dossier.

Plusieurs recoins m'avaient donné du fil à retordre. Il me restait une dernière chambre. Je descendis les trois marches qui menaient à une sorte de dressing, peut-être un ancien boudoir. L'architecte avait insisté pour un relevé de métrages complet, ce qui nécessitait que je me glisse à l'intérieur. Je tentais de me faufiler dans un étroit passage et de me caler en équilibre sur une jambe pour installer mon laser, lorsque la tablette sur laquelle je m'appuyais céda sous mon poids.

Étalée de tout mon long dans la poussière, je jurai comme un charretier contre ma maladresse. Appuyée sur le coude, je me frottai énergiquement la hanche droite. Je devais encore me retourner puis me relever. La première étape m'apprit que je n'avais apparemment rien de cassé. Encore heureux ! J'allais prendre appui sur ma main lorsque je sentis la latte du parquet s'enfoncer en craquant.

– Oh, mon Dieu ! m'écriai-je, surprise.

Un peu honteuse, je récupérai ma torche et éclairai l'endroit suspect. Sous les morceaux de bois, se trouvait une sorte de petit paquet entouré de papier kraft. Je le saisis et quittai le plus rapidement possible le réduit en frottant ma hanche encore douloureuse.

Une fois revenue dans la chambre qui jouxtait le débarras, j'examinai ma trouvaille : de plus près, je réalisai qu'il s'agissait d'une enveloppe fermée par des rubans. Elle ne portait aucune inscription. Il me faudrait la remettre à la famille dans les meilleurs délais. Je terminai rapidement mon travail.

J'éprouvai une curieuse sensation en fermant la porte à double tour. J'aurais dû me rendre immédiatement au domicile des Maréchal pour déposer l'enveloppe, mais un nouvel appel de Yann m'obligea à changer mes plans. Le rendez-vous, avec toute l'équipe de l'agence du Puy, était fixé à 9 heures le lendemain matin. Il me fallait donc rentrer rapidement pour faire mes bagages afin de me rendre sur place le soir même.

Ma valise bouclée, je réglai ma note, en remerciant chaleureusement mes hôtes pour leur accueil.

Deux heures plus tard, je me garais dans la cour de l'hôtel réservé pour moi par Yann, au Puy-en-Velay.

***

Ce n'est qu'une fois installée dans ma chambre que je pris le temps de repenser à ma découverte. Je sortis l'enveloppe de ma valise et laissai lentement glisser mes doigts sur ses bords, un peu comme si je touchais un objet précieux ou interdit.

Je restai un moment immobile, refrénant mon envie, hésitant à défaire le lien. Puis, ignorant le trouble qui me traversait, je décidai de l'ouvrir pour savoir à qui la rendre - enfin, c'est la raison que je me donnai pour garder bonne conscience.

J'en retirai un premier dossier. Il contenait des données médicales classées par dates dans une chemise cartonnée et un pilulier en plastique garni de gélules bicolores rouge et blanc et d'autres uniformément blanches.

Une deuxième chemise à élastique renfermait des écrits tapés à la machine, ce qui semblait être des textes, des poèmes, des lettres... En dessous, une liasse de feuilles manuscrites réunies par une sorte de pince à dessin attira mon attention.

D'un œil curieux, je parcourus l'écriture belle et fluide qui courait sur le papier quadrillé. Sur la couverture, je pouvais lire une première phrase très explicite : « *Confidentiel. Je vous supplie de ne pas lire ces écrits si vous les trouvez et de les détruire si je venais à disparaître.* » Les pages, fripées par endroits, portaient comme des traces de larmes.

Au toucher des feuillets vieillis par les ans, je sentais le poids des lettres gravées à l'encre noire sur le papier. J'imaginais l'auteur penché sur son bureau livrant sa vie, ses secrets. Tiraillée, je me battais contre ma propre conscience et finis par juger qu'il s'agissait davantage d'une supplique que d'un véritable interdit.

5

Les feuillets de Lucile

Ce fut plus fort que moi, j'en savais déjà trop ou pas assez ! Je décidai de céder à ma curiosité et commençai à déchiffrer les feuillets de Lucile.

Octobre 1973

J'avais atteint le fond du gouffre, mon désespoir était incommensurable. Sans le savoir, Marie, ma partenaire à l'atelier d'écriture, m'a aidée à prendre ma décision. Tout a commencé ce jour où elle m'a entrepris en sortant de notre séance d'écriture.

– Lucile, je trouve que tu as beaucoup maigri, tu es de plus en plus sombre, tu sembles ailleurs, as-tu des problèmes ?

– Non ! non ! Enfin, je suis juste un peu soucieuse en ce moment, c'est tout.

– Je te connais, je sais que tu ne m'en diras pas plus… Par contre, si tu veux un conseil, toi qui es si réservée, mais qui aimes tant écrire, tu devrais te libérer de tes soucis en les confiant à un confident, quelqu'un de discret, bien sûr. Or, y a-t-il quelque chose de plus discret qu'une page blanche dans un journal secret ? Écris, Lucile, note ce que tu vis, ce que tu vois, ce que tu en déduis, ce que tu ressens. Bref, sans être médecin, je te propose une sorte de thérapie, c'est ce que me conseille mon analyste, m'avait-elle dit, en riant.

Pendant que Marie me parlait, j'imaginais l'exercice. Écrire pour moi seule, quelque chose qui ne serait jamais montré aux autres, un livre dans lequel je pourrais coucher mes peines et mes espoirs, l'idée me paraissait séduisante.

À peine m'avait-elle quittée, que je montai dans mon bureau pour rassembler le matériel nécessaire : mon porte-plume, de l'encre et du papier, je ne souhaitais pas me servir d'une machine à écrire pour éviter de laisser la moindre trace. Dès qu'elle fut posée sur la page blanche, ma main courut sur le papier sans que je puisse l'arrêter. Tout, depuis ma plus tendre enfance, me revenait en mémoire. Il ne me restait plus qu'à consigner les événements dans ces feuillets.

***

1948-1968 - Jeunesse

Mon père et ma mère avaient émigré en Île-de-France, dans la grande couronne parisienne en 1948. Tous les deux étaient des bougnats, originaires de la Haute-Loire. Influents, ils tenaient une société d'importation de bois en provenance d'une scierie de La Chapelle-Geneste, qu'ils avaient laissée en gérance. La France d'après-guerre était en pleine période de reconstruction. Avec 30 % du patrimoine immobilier démoli, une grande partie des établissements industriels détruits et des infrastructures démantelées, les besoins étaient considérables.

Très unis, mon père et ma mère s'étaient organisés pour faire face à l'ampleur du labeur. Leur vie de couple était calée sur leur vie professionnelle, elle, à la comptabilité, lui dans un rôle de commercial faisait des allers-retours réguliers entre la Haute-Loire et la Seine-et-Marne.

La surprise fut totale lorsque, âgée de plus de 45 ans, ma mère apprit qu'elle était enceinte. Je vis le jour en septembre 1951. « Un miracle de la nature », disait les amis de mes parents, « une lourde tâche », disait ma mère qui se remettait mal de cette grossesse très difficile. À peine rétablie, elle se remit au travail.

On cala mon berceau dans le bureau des archives. J'étais heureusement un bébé calme et vite satisfait. Une bonne tétée, des fesses propres et je m'endormais facilement, là où l'on me posait.

Je passai mes trois premières années, bercée par le bruit et l'odeur de la machine à polycopier à alcool. J'appris très rapidement à me fondre dans le décor, invisible et muette. Dès que j'en fus capable et aussi loin que je me souvienne, je m'inventai un univers au milieu de piles de papier, des cartons à archives, des cartouches d'encre et des vieilles machines à écrire. Ma poupée, Lili, m'accompagnait partout ; docile, elle pouvait être mon élève lorsque j'étais son institutrice, ma meilleure fan lorsque j'étais actrice.

Les années qui suivirent furent plus pénibles pour Mère qui supportait difficilement mon caractère rêveur et mon imagination débordante. Pour autant, d'un commun accord, mes parents convinrent de lui laisser la charge de mon éducation. Ma mère allait très vite m'apprendre l'efficacité, m'inculquer la valeur travail et m'expliquer comment me passer du superflu. C'est-à-dire de presque tout. Car, il faut dire que pour elle, au-delà d'une nourriture saine à base de pommes de terre, de champignons et de fromage, de solides souliers et de quelques nippes constituées d'une robe confortable et d'un manteau chaud, tout était superflu.

Ainsi, alors que mes parents avaient une situation plutôt honorable, nous vivions chichement dans une vieille maison, à Chartrettes, en Seine-et-Marne. Le devant de l'habitation donnait directement sur la rue, mais à l'arrière, un long jardin finissait en contrebas sur la Seine.

Tous les soirs, à peine mes devoirs terminés, je filais m'asseoir sur l'herbe pour regarder les péniches passer. Souvent, les mariniers me saluaient, mon imagination débridée m'emmenait voguer avec eux. Debout derrière la barre, je remontais les fleuves jusqu'à la mer, je traversais les océans pour rejoindre un à un tous les continents.

Quelquefois, Père prenait le temps de venir me rejoindre. Je vivais alors des moments magiques où il me montrait les étoiles et me racontait l'Auvergne de son enfance, les forêts de sapins, les lacs, les sources d'eau chaude à 38 degrés dans lesquelles il se baignait dès le mois de mai. Sa région lui manquait terriblement.

J'avais été une adolescente obéissante et disciplinée, Mère y avait veillé. Loin des canons de la beauté de l'époque, j'étais boutonneuse, terne, plutôt gauche. Je vivais camouflée dans des vêtements trop grands, pour dissimuler mes rondeurs. « Au moins, tu as une constitution robuste ! », me disait ma mère.

Livrée à moi-même, j'étais cependant une élève studieuse, ce qui m'avait permis de décrocher, à 18 ans, un baccalauréat littéraire avec mention. Dès lors, personne ne chercha à savoir quels pouvaient être mes projets ou quelles études je souhaitais suivre. De toute façon, je n'aurais pas su quoi répondre. Je n'avais pas d'amis, seulement quelques camarades qui appréciaient mes dispositions en littérature et en philosophie lorsque j'acceptais de les aider dans leurs dissertations.

Les seuls moments de plaisir qui m'étaient accordés venaient de mes séjours chez tante Pauline, la sœur de ma mère, en compagnie de ma cousine Perrine.

Pauline était l'exact contraire de Mère. Gaie, volubile, frivole, elle suivait son mari diplomate dans toutes les missions qui lui étaient confiées, leur fille Perrine avait trois ans de plus que moi. Toutes les deux, nous étions très proches malgré nos différences : brune, mince, élancée, ma cousine était toujours coiffée et vêtue à la dernière mode.

La mère et la fille étaient très complices, et avec elles, j'avais appris que s'occuper de soi n'était pas un péché. Ma cousine me guida pour soigner mon visage en utilisant des produits naturels, elle m'apprit à m'habiller pour souligner ma taille fine et me donna une technique de maquillage qui mettait en valeur mes yeux noirs. En secret, elle me fournissait les rudiments d'une alimentation équilibrée qui m'avait permis de mincir un peu.

Mes parents, très occupés, avaient à peine remarqué ma transformation. Depuis le mois de janvier 1968, mon père multipliait les séjours à La Chapelle-Geneste.

Il avait été dépêché par la communauté de bougnats pour trouver le candidat idéal qui, un jour, les représenterait à l'Assemblée nationale. Un vaste programme et surtout un grand défi. Le postulant devait être « politiquement compatible », charismatique, convaincant, plutôt jeune, mais avec de la prestance et de l'expérience.

Une sorte de mouton à cinq pattes.

***

1969 - Le candidat idéal

Père me confia beaucoup plus tard les circonstances de ma rencontre avec Denis.

Mon père avait fait le tour de toutes ses relations et le choix s'était presque naturellement porté vers le neveu de son meilleur ami, Denis Maréchal. Âgé de 32 ans, Denis était depuis deux ans le directeur de la scierie qui appartenait à mes parents. Grand, athlétique, les cheveux blond cendré et les yeux d'un bleu acier, il avait été désigné pour ses grandes capacités, pour sa crédibilité, mais également pour sa modernité.

Suite à un accident ferroviaire qui emporta ses parents, il était devenu orphelin à l'âge de 15 ans. Grâce au pécule dont il hérita, il avait pu suivre de brillantes études avec un double cursus HEC et Sciences Po. Puis, vite las de la vie parisienne, il revint s'installer, dès la fin de ses études à La Chaise-Dieu, près de son oncle et sa tante qui l'avaient élevé.

Avec lui, la scierie connaissait un développement exponentiel. Le carnet de commandes ne désemplissait pas et la fiabilité des livraisons permettait de fidéliser les clients à une époque où, compte tenu de l'importance de l'activité, ce type d'établissement se démultipliait. On ne comptait pas moins d'une nouvelle création d'entreprise d'importation de bois, chaque mois.

Il était donc pourvu de toutes les qualités que demandaient mon père et ses amis.

Denis n'avait pas d'ambition politique, en tout cas il n'en avait jamais montré avant que mon père ne s'entretienne avec lui. J'appris bien plus tard que c'est lors d'un dîner au restaurant que Père, un peu maladroitement, avait abordé le sujet dès l'apéritif.

– Denis, cela fait deux ans que tu occupes le poste de directeur de la scierie. Est-ce que cette situation te convient ?

– Oui, tout à fait, pourquoi cette question ?

– Eh bien, je me demandais si tu ne commençais pas à te lasser un peu…

Denis, surpris, déglutit.

– Me lasser ? Je n'en ai guère le temps : la scierie fonctionne dix-huit heures sur vingt-quatre pour faire face à toutes les commandes, je dirige dix personnes et je gère six camions de livraison en permanence. Il faut d'ailleurs que je vous parle d'un nouveau concept que je souhaite développer avec votre accord.

– Je ne doute pas que tu sois très occupé, je te répète encore une fois toute la satisfaction que tu me donnes, nos affaires sont florissantes et tu as toute ma confiance. Mais…

Impatient et un peu nerveux, Denis le coupa.

– Monsieur Chevalier, je vous en prie, allez droit au fait, je vous sens préoccupé, que se passe-t-il ?

– Denis, n'as-tu jamais pensé à faire de la politique ?

– Faire de la politique ? Disons que l'idée m'a parfois effleuré l'esprit, surtout depuis les derniers événements. J'ai souvent l'impression que nos dirigeants manquent de lucidité, mais même si j'en avais envie, je n'en ai ni le temps ni surtout les moyens.

– Et que dirais-tu si on t'en donnait les moyens ?

Denis était surpris.

– Qui « on » ? Quels moyens ? De quoi parlez-vous ?

André prit une gorgée de Château-Margaux.

– Avant de te répondre, je voudrais ton avis sur la situation actuelle. Que penses-tu de la décision du Général de Gaulle de conditionner son avenir politique à un référendum ?

Le jeune homme posa sa fourchette. Joignant ses mains sous son menton, il déclama avec conviction.

– Une folie, c'est une véritable folie, le Général est très mal conseillé, il est trop tôt pour faire appel au peuple. Il faut attendre encore. De Gaulle doit convaincre le Parlement du bien-fondé de la réforme des régions et du Sénat. Il ne doit pas se soumettre au référendum et surtout, il ne faut pas qu'il mette en jeu sa légitimité.

– Ainsi, pour toi, c'est une bonne réforme ?

– Je suis fermement convaincu que la région est la bonne échelle de décision pour initier et suivre des projets locaux. Et je crois aussi qu'il est sain pour le pays de faire siéger côte à côte des élus locaux et des représentants des activités économiques, sociales et culturelles.

– Que pourrait-on faire selon toi ? s'enquit André en repoussant son assiette.

– Retrouver une ambition nationale qui ne consisterait pas à nier les réalités du monde, mais à assumer nous-mêmes notre destin. Réformer notre pays en interne pour peser à l'étranger. Mais voilà, qui serait capable de le faire ? Pompidou ne va pas s'y frotter, Poher et les centristes ne sont pas loin et il a besoin d'eux. La droite reste largement majoritaire, mais qui va oser faire les réformes dont la France a besoin ?

– Et si c'était toi ? dit André en regardant Denis droit dans les yeux.

– Moi ? Mais vous n'êtes pas sérieux, je n'ai aucune expérience !

– Très sérieux, au contraire. Je suis venu te parler au nom de la confrérie des Altiligériens. Tu sais que j'appartiens à ce cercle des Auvergnats de Haute-Loire, et nous avons considéré plusieurs solutions… Si tu es partant, nous sommes prêts à t'aider, à te former. Attention, le chemin sera long et semé d'embûches. Réfléchis, la nuit porte conseil. Nous en reparlerons demain.

André se montra très satisfait de cette entrevue, les réponses apportées par Denis étaient celles qu'il attendait. Il était de plus en plus convaincu que leur choix était le bon, son protégé serait cet homme providentiel qu'il fallait à la France. Il ne doutait pas de l'intérêt qu'il avait éveillé chez Denis et il avait déjà en tête, les freins que celui-ci mettrait en avant.

Mais Père avait tout prévu.

De son côté, Denis était un peu perdu. Très fier de l'offre qui lui avait été faite, il s'interrogeait vraiment sur… Sur quoi au fond ? Sur son ambition ? Non, ça, il savait qu'il en avait. Sur ses capacités ? Sa formation initiale lui donnait la matière dont il aurait besoin, avec un peu de formation complémentaire et un bon entourage, il devrait s'en sortir. Sur le courage et la force qu'il lui faudrait ? Il ne manquait ni de l'un ni de l'autre. Sur son envie ? Depuis ce dîner, il en mourait d'envie ; il se voyait déjà à la tête d'un parti politique, véritable tribun qui saurait convaincre les foules.

Alors, que lui manquait-il ? Les moyens : partir de rien comme c'était son cas nécessitait des fonds, beaucoup d'argent. André parlait de mécènes, mais serait-ce suffisant ? Non. Sans fortune personnelle, le risque était trop grand, il répugnait de devoir s'arrêter au milieu du gué. L'environnement dans lequel les hommes politiques évoluaient était au moins aussi important que les idées qu'ils portaient. Donc, il ne pouvait accepter.

Soupirant devant ce rêve qui disparaissait, il secoua la tête et monta dans son véhicule.

23 heures, il était encore temps de rejoindre Gisèle.

***

Une pensée érotique lui vint à l'esprit en imaginant sa belle rousse, le corps chaud, qui l'attendait, languissante, sous une couette de plumes… !

Denis avait les clés de son appartement. Amis d'enfance, ils avaient passé ensemble tous les étés et toutes les vacances scolaires, elle, chez sa tante, lui, chez son tuteur et étaient restés très proches pendant leurs études. Alors que Denis entrait à HEC, Gisèle entama des études de médecine sur un campus voisin. Ces cinq années parisiennes les avaient rapprochés, ils avaient été amoureux, puis amants. Mais Gisèle, contre toute attente, lui avait préféré, un fils de bonne famille qu'elle avait suivi à Lyon et avec lequel elle avait emménagé.

La cohabitation avait cependant été de courte durée, et à peine six mois après leur installation, le couple s'était séparé. La rupture avait fortement ébranlé Gisèle, au point qu'elle en abandonna ses études de médecine.

Denis, qui lui avait pardonné, fut un ami précieux durant cette période. Il l'avait soutenue et convaincue de reprendre la faculté. Gisèle avait choisi Pharmacie et obtenu un diplôme de pharmacienne hospitalière. Aujourd'hui, elle exerçait cette fonction au centre hospitalier d'Ambert.

Lors du retour de Denis « au pays », ils s'étaient à nouveau rapprochés. Gisèle, follement amoureuse de lui, se demandait encore comment elle avait pu le quitter au risque de le perdre. Ils avaient rattrapé le temps perdu, et elle s'était promis de ne plus jamais le laisser s'échapper. Leur avenir à deux était tout tracé, ils se marieraient, auraient des enfants…

En pénétrant dans l'appartement de Gisèle, il constata qu'elle avait laissé les lampes allumées et déposé sur le chemin menant de sa porte d'entrée à sa chambre à coucher des pétales de rose. Autant de promesses pour la nuit à venir. Mais Denis était préoccupé. Avant de la rejoindre, il se servit un whisky. Gisèle, dans un déshabillé en satin grège, le rejoignit presque immédiatement.

– D'où vient cette ride sur ton front ? lui demanda-t-elle d'une voix sensuelle tout en lui massant les tempes.

Denis lui sourit en lui embrassant le creux du poignet.

– Voyons, ma chère, rien ne t'échappe. Je viens d'avoir une proposition étonnante.

– Vraiment ? Une promotion ?

– Mieux que ça, un bouleversement, un cataclysme dans ma vie, un destin !

– Tu me fais peur, qu'a bien pu te proposer le père Chevalier ?

– Une carrière politique, rien que cela !

– Sérieusement, mais de quoi parles-tu ? D'un mandat pour toi ou de l'assistance à un futur candidat aux prochaines élections présidentielles ?

– Les deux, je pense. Les municipales auront lieu dans deux ans, c'est le temps qu'il me faudrait pour faire mes armes.

– On dirait que tu as déjà pris ta décision… !

Gisèle virevoltait dans la pièce.

– Femme de maire, ou de député, ça m'irait bien, non ?

– Je crains, hélas, que ni ma fortune ni la tienne ne m'autorisent une telle ambition. Non, la solution, c'est d'épouser une femme riche ! plaisanta-t-il. Écoute, il est tard, je vais rentrer chez moi.

Denis résista aux suppliques de sa dulcinée.

Il passa le reste de la nuit chez lui à se tourner et se retourner dans son lit, en soupirant.

6

Les feuillets - Contrat gagnant

Je me rappelle les propos de mon père quand il évoquait les jours qui suivirent la proposition qu'il avait faite à Denis.

Il m'expliqua qu'il était déjà dans son bureau à la scierie, lorsque Denis arriva le lendemain matin les traits tirés

– Une nuit difficile ? Tu veux un café ?

– Oui, merci, j'ai très peu dormi, en effet.

Le jeune homme était mal à l'aise à l'idée de devoir expliquer les raisons de son refus. Il les estimait inavouables, à moins de paraître vénal et de froisser André.

– Es-tu en mesure de donner une réponse à notre proposition ?

– Monsieur Chevalier, je suis très flatté de cette offre. Je pense sincèrement que j'aurais pu être la bonne personne, mais je ne pourrais jamais vivre aux crochets d'une organisation qui me demanderait des comptes et à qui je devrais faire l'aumône pour chacune de mes dépenses. Je pense que pour se lancer en politique, un homme doit disposer d'une fortune personnelle et ce n'est pas mon cas. Dans ces conditions, je me dois de…

André l'interrompit immédiatement en posant un doigt sur ses lèvres.

– Chut ! Attends, Denis, j'ai encore autre chose à te dire…

Il prit une grande inspiration.

– Tu sais que je te considère un peu comme mon fils, aussi, j'aimerais que tu le deviennes. Ma fille, Lucile est en âge de se marier, c'est mon unique héritière et comme tu le sais, je dispose d'un capital confortable. Tout cela sera à toi si tu deviens mon gendre.

Denis, interloqué, écarquilla les yeux. André, la voix pleine d'émotion, le prit dans ses bras.

– Je suis très touché de votre proposition, je…

– Ne dis rien de plus, je te demande d'abord d'y réfléchir calmement. J'aimerais t'inviter à déjeuner dimanche en quinze, à cette occasion tu rencontreras Lucile, elle ne sait rien de ma démarche. Bien évidemment, ce projet ne pourrait se concrétiser qu'avec son accord.

J'étais chez ma cousine Perrine lorsque mon père et ma mère m'expliquèrent par téléphone que je devais participer à un déjeuner important au cours duquel je pourrais rencontrer une personne « intéressante ». Ceci ne voulait absolument rien dire pour moi, mais je sus plus tard que ma mère s'était longuement entretenue avec ma tante Pauline pour lui expliquer la situation et lui demander son aide.

Les dix jours qui suivirent furent riches d'enseignements. Ma tante et ma cousine m'invitèrent aux thermes, où nous nous prélassâmes avec délectation dans des bains à bulles. Malgré mes réticences, elles m'emmenèrent chez l'esthéticienne pour un maquillage, puis chez le coiffeur qui me lissa les cheveux qu'il avait entourés dans un grand bandeau : j'étais méconnaissable. Elles m'avaient aidée à choisir deux tenues qui mettaient en valeur ma taille fine et mes jambes longues. Je savais que Mère n'apprécierait pas, mais je ne pus refuser les escarpins à talon choisis par ma tante pour sublimer une combinaison-pantalon à pattes d'éléphant.

J'étais métamorphosée ! J'osais enfin me regarder dans une glace et me trouver acceptable. Mon sourire de satisfaction n'échappa pas à ma cousine qui n'était pas dans la confidence.

– Tu as déjà eu un amoureux ?

– Non, dis-je en rougissant.

– Et quel serait ton type d'homme ? me demanda-t-elle sur le ton de la cachotterie.

Je me pris au jeu.

— Il devra être beau, très beau, grand, au moins 1 mètre 85, svelte, élégant, gentil, tendre, aimant…

— Hum ! Ça, c'est le prince charmant !

— Oui, en quelque sorte.

Plus sérieusement, j'ajoutai.

— Non, je plaisante, je ne demande qu'une chose, je veux un homme honnête, en qui je puisse avoir une confiance totale, je veux être tout à lui et qu'il soit tout à moi.

J'avais l'air tellement passionnée que ma cousine réagit immédiatement.

— Eh bien ! N'aurais-tu pas peur de l'étouffer ? Je n'ose pas imaginer ce qui arriverait s'il te trahissait.

— Je sais que par amour, je serais capable du pire comme du meilleur.

Pour être moins conventionnels et ne pas effrayer Denis, mes parents avaient choisi un restaurant pour notre première rencontre. On m'avait juste informée que nous recevions Denis

Maréchal, le directeur de la scierie de mon père, sans plus de détails.

***

Notre rencontre

Dès le premier regard, je fus subjuguée, captivée, fascinée par cet homme sur lequel je n'osais à peine lever les yeux. Denis, souriant, vêtu d'un pantalon clair, d'une chemise bleue et d'une veste fluide faisait la conversation à ma mère tout en me jetant un regard complice qui me laissait penser que je l'intéressais et qu'il aurait préféré être seul avec moi. Ma mère était charmée, mon père jubilait.

Denis avait largement réussi son entrée dans la famille.

Mes parents nous proposèrent de finir l'après-midi par une balade sur la Seine. Eux, se sentant fatigués, s'étaient excusés. Denis devait me raccompagner dans la soirée.

— Enfin seuls, laissa-t-il échapper en montant sur le bateau-mouche. J'ai très envie de vous connaître, parlez-moi de vous.

— Je crains qu'il n'y ait rien d'intéressant à raconter, fis-je en baissant les yeux.

— Je suis certain du contraire, dites-moi par exemple quelle est votre couleur préférée ?

— Bleu turquoise, répondis-je, d'une voix assurée.

— Qu'est-ce que cette couleur représente pour vous ?

— Les mers du Sud, le sable blanc, la chaleur des tropiques…

— Quelle ferveur ! Vous aimez les voyages ?

— J'aimerais voyager, découvrir le monde… Et vous ?

De sa voix grave et vibrante, il me confia une partie de ses rêves. Entrer dans la politique était l'un d'eux, il voulait des enfants, une belle maison et une femme aimante. En énonçant ces mots, Denis mit son bras autour de mon épaule.

Doucement, je me laissai aller contre lui, les yeux fermés… Le soleil de l'été caressait mon visage.

Les semaines qui suivirent furent parmi les plus belles de ma vie. Très vite, Denis avait demandé ma main, qui lui avait été accordée. Les fiançailles officielles avaient été réservées à la famille intime. De mon côté, Perrine, Pauline et son mari, pour Denis, son oncle et sa tante qui l'avaient élevé à la mort de ses parents. Une journée mémorable pendant laquelle il avait été tout à moi et rien qu'à moi.

Je tremblais à sa vue, je vacillais lorsqu'il m'approchait. Je portais au doigt un magnifique diamant, monté en solitaire, sur un anneau en or blanc, symbole de pureté et de fidélité. « Une folie », avait jugé ma mère qui ne comprenait pas mon manque de pudeur envers mon fiancé.

– Tu ne dois pas montrer ainsi tes sentiments, ma pauvre fille, on dirait une dévergondée. Et puis quoi, ne te fais pas d'illusion, l'amour, ça ne dure pas.

Le mariage était fixé au mois de mai. J'avais confié à Perrine la mission de témoin, et en cette qualité, elle m'aida à constituer mon trousseau. Il avait été décidé que nous emménagerions dans la bastide familiale de La Chapelle-Geneste. Mon père mit des fonds à notre disposition pour y effectuer des travaux. En effet, la bâtisse, haute de deux étages, devait être transformée pour accueillir deux appartements, le nôtre et celui de mes parents qui avaient décidé de prendre une retraite bien méritée en laissant, pour dot, leur affaire à Denis.

***

De son côté, à La Chapelle-Geneste, Denis préparait son entrée dans la vie politique. Il avait attendu le dernier moment pour parler de ses intentions à Gisèle qui était très loin de s'attendre à une telle nouvelle. Il lui avait proposé de l'accompagner à Aix-en-Provence, le week-end suivant. Gisèle s'imaginait déjà dans un hôtel de prestige, elle s'était préparée à une demande en mariage.

Dans la voiture qui les menait vers le cours Mirabeau, Gisèle, lovée sur le siège, s'approcha de Denis.

– Quelle merveilleuse idée, mon chéri, j'attendais ce week-end avec impatience ! Je voudrais qu'il soit mémorable, qu'as-tu prévu ?

– D'abord, je vais te déposer à l'hôtel. Pendant que je rendrai visite à mon client dans la banlieue d'Aix, tu pourras profiter du spa puis du massage spécial que je t'ai réservé. Je te rejoindrai au plus vite.

– Bien, mais ensuite, tu me promets le plus beau de tous les week-ends en amoureux, lui dit-elle d'une voix boudeuse.

Denis, gêné par sa demande, décida de tout lui avouer le plus rapidement possible.

– Gisèle, je dois te parler, je te retrouve dès que j'ai fini, j'ai beaucoup de choses à te dire.

Elle comprit que l'instant était grave.

– Tu en as trop dit ou pas assez, qu'y a-t-il ? Je sens qu'il se passe quelque chose de grave. Denis, arrête la voiture, veux-tu, et regarde-moi, qu'as-tu à me dire ?

– Je vais me marier, lâcha Denis brusquement.

– Te marier ! Mais comment ça ? Tu veux dire que tu vas me demander en mariage ? Denis, regarde-moi, tu vas me demander en mariage n'est-ce pas ?

– Non. Je vais épouser Lucile Maréchal, la fille de mon patron. La cérémonie est fixée au 18 mai.

– Tu vas en épouser une autre, ce mois-ci, et tu me l'apprends seulement maintenant !

Hystérique, Gisèle suffoquait de rage.

–Mais de quand date ce projet ? Comment est-ce possible ? Et moi, as-tu pensé à moi, à nous… ? Je croyais que tu m'aimais.

Elle s'effondra en larmes.

– Lucile est très jeune, je viens de faire sa connaissance, c'est quelqu'un de bien et cette union me donne l'opportunité d'entamer une carrière politique.

– Comme tu parles d'elle ! cracha Gisèle avec jalousie, une jeune vierge effarouchée, hein, et riche qui plus est ! Bravo, tu as décroché la timbale, gagné le jackpot !

– Ne me complique pas la tâche, je t'en prie…

– Pauvre petit être malheureux qui va vendre son âme au diable, je te plains de tout mon cœur !

Elle sortit de la voiture en claquant la portière. Son sac de voyage en main, elle s'éloigna rapidement du véhicule. Denis soupira, il ne savait pas encore si le pire était passé ou à venir, cette impétueuse maîtresse avait du tempérament, c'est d'ailleurs ce qu'il aimait en elle.

Denis ne revit pas Gisèle avant la cérémonie, il était très occupé entre la scierie et son installation au poste de conseiller technique de

Valéry Giscard d'Estaing.

***

L'entrée en politique

Je me souviens que durant cette année 1969, au niveau politique tout s'était précipité. Comme il l'avait annoncé, le Général de Gaulle avait démissionné dès les résultats du référendum qui donnaient 53 % de NON.

En attendant, les nouvelles élections présidentielles, Alain Poher, président du Sénat, assurait par intérim la présidence de la République. Valéry Giscard d'Estaing, à la tête du parti des Républicains Indépendants, était devenu un homme influent.

Comme lui, Denis Maréchal portait un intérêt particulier à la fiscalité qu'il considérait comme un instrument crucial de la politique économique et sociale. Il avait intégré son cabinet au sein d'une équipe réduite à l'essentiel.

À la demande de Giscard, une fois par mois, Denis présidait une réunion de conjoncture dont l'objectif était de permettre un parfait niveau de communication, entre tous, sur tous les aspects de l'activité économique et sociale. Il présentait tous les indices les plus récents, fournis, par le ministère de l'Intérieur ou des Finances et commentait les indicateurs essentiels – commerce extérieur, niveau des prix, recettes fiscales, activité des divers secteurs de l'économie, situation sociale. Valéry Giscard d'Estaing donnait son interprétation et ses instructions pour orienter les travaux de chacun en vue de l'élaboration du projet de gouvernement sur lequel le parti travaillait.

Le poste était intéressant, il permettait à Denis de suivre les dossiers stratégiques, mais en même temps lui faisait subir une tension psychologique permanente face aux rythmes imposés et aux exigences des ténors du parti.

***

Pendant ce temps, je m'occupais des travaux de la bastide. Située au centre du village, elle avait beaucoup d'allure. Il s'agissait d'un ancien corps de ferme, composé de vieilles dépendances et de granges, qui avait été transformé en établissement hôtelier par mes grands-parents : « l'hôtel Central ».

On accédait à l'intérieur par une magnifique porte en bois cintré en face de laquelle une seconde porte dissimulait un escalier menant aux huit chambres réparties sur deux étages. Sur la gauche, se trouvait une grande cuisine ornée d'une cheminée monumentale dans laquelle on pouvait faire rôtir deux cochons. Les dimensions du piano de cuisson le rendaient impressionnant. On pouvait placer sur ses deux grandes plaques « coup de feu » autant de casseroles en cuivre, et poêles en fonte qu'il en fallait pour réaliser les plats les plus élaborés. Au milieu de la pièce, une table de ferme en bois massif pouvait accueillir sans peine plus de douze convives.

Le fond de la cuisine s'ouvrait sur un cellier qui gardait jalousement les victuailles. Sous la fenêtre, le plan de travail et l'évier en pierre naturelle donnaient à l'ensemble le charme de l'authentique. Un recoin à usage de bureau venait compléter l'espace. Sur le côté, quelques marches menaient au sous-sol rempli de fûts de vin. À la droite du hall d'entrée, une porte battante permettait d'accéder à l'immense salle à manger qui avait naguère servi de salle de bals donnés en hommage à la Vierge noire.

À l'extérieur, derrière la maison, on trouvait après l'écurie un petit jardin sur toute la largeur de la bâtisse. Il servait de potager à ma grand-mère qui cuisinait beaucoup.

La maison était inhabitée depuis le décès de mes grands-parents. Il fallait la moderniser et la restructurer, mais les surfaces étaient tellement conséquentes qu'il était aisé d'imaginer deux grands appartements totalement indépendants. Après réflexion, et l'accord de mon père, il fut convenu que l'ancienne salle de réception serait transformée pour y installer le siège de campagne de Denis.

Notre mariage fut célébré à La Chapelle-Geneste le 18 mai 1969. Des fleurs de lys, ma fleur préférée, ornaient l'église toute proche de la bastide qui devait abriter notre bonheur. Ma robe de mariée était celle de ma mère qu'elle tenait elle-même de sa mère. Je portais une étole sur les épaules et des perles dans les cheveux.

Denis était vêtu d'un complet gris foncé sur une chemise gris clair ornée d'un nœud papillon de la couleur de ma robe. Il était magnifique.

Après l'échange des consentements, il m'embrassa tendrement. Ce n'était pas notre premier baiser, mais celui-là scellait notre union devant Dieu, ce qui la rendait éternelle.

J'étais douloureusement heureuse !

Le voyage de noces fut décalé à plus tard, campagne présidentielle oblige.

7

Les feuillets - Un bonheur presque parfait !

Les élections

Le gouvernement transitoire avait fixé la date des élections anticipées, le scrutin était fixé au 1er juin 1969. Il fallait rapidement faire campagne pour convaincre les électeurs de choisir le meilleur successeur pour la France.

Denis incarnait la droite, il appartenait au camp des Républicains Indépendants, un courant libéral en économie et pro-européen mené par Valéry Giscard d'Estaing. Après un moment d'indécision, le parti décida de soutenir Georges Pompidou, ancien Premier ministre et candidat gaulliste. En face, la gauche était victime de ses divisions, mais Gaston Defferre et Pierre Mendès France restaient des candidats redoutables.

Dès le lendemain de notre mariage, nous avions emménagé dans l'appartement du deuxième étage de la bastide rénovée. Le logement était coquet, fonctionnel et moderne. Denis m'avait laissé « carte blanche ». Seule, j'avais choisi toutes les tapisseries et j'étais très fière du résultat obtenu. Pour l'ameublement, il avait participé, à ma demande, au choix des fauteuils du salon. Malgré mon jeune âge, je savais exactement ce que je voulais. Je souhaitais que « mon homme » puisse se détendre après ses dures journées de labeur, et hors de question pour moi de suivre une mode que je jugeais trop colorée et anticonformiste.

Fidèle aux idées de ma mère, mais séduite par les tendances de mon époque, je souhaitais allier le moderne et le fonctionnel. Impossible de nous imaginer Denis et moi dans un lit en forme de soucoupe volante ou de nous asseoir dans des bulles transparentes en suspension, totalement inconfortables. Les teintes dominantes de l'appartement étaient plutôt neutres avec du grège, du brun et du marron ainsi que quelques touches colorées posées avec parcimonie, une lampe d'ambiance à plasma multicolore, des rideaux en perles de verre de toutes les couleurs qui tombaient en cascades étincelantes.

J'avais néanmoins cédé à la fausse fourrure à poil long pour recouvrir les coussins posés sur les fauteuils et pour servir de dessus-de-lit. Une table basse en verre fumé et aux pieds chromés, complétait le salon. Dans la cuisine, l'orange et le formica étaient de mise. Denis avait apprécié mes choix, il m'avait complimenté en me disant à quel point il se sentait bien chez nous. J'avais rougi devant un tel compliment.

Notre vie à deux ressemblait à l'idée que je me faisais d'un couple heureux. J'aidais Denis à la scierie, il m'avait initiée aux rudiments de la comptabilité d'entreprise et trouvant que j'étais plutôt douée, il m'avait confié peu à peu de plus en plus de responsabilités en matière de contrôle. Mais ce que je préférais, c'étaient les quelques soirées qu'il passait à la maison, seul avec moi, lorsque détendu, il m'expliquait dans le détail le projet politique qu'il avait pour la France.

Sur le plan intime, c'est bien évidemment Denis qui m'avait initiée à l'acte d'amour. Il était un excellent professeur et selon lui, j'étais une très bonne élève. Prude au début de nos relations, j'avais rapidement appris à satisfaire mon partenaire pourtant très exigeant.

De mon côté, ses baisers, ses caresses, ses étreintes... m'emportaient jusqu'à l'extase. Mon seul souhait était de lui rendre au centuple le plaisir qu'il me procurait. Méconnaissable dans notre intimité, mon ardeur l'amusait autant qu'elle le comblait. Mon bonheur aurait été total si je n'avais pas perçu sur le visage de Denis un durcissement des traits lorsqu'il était absorbé et qu'il ignorait que je l'observais. J'avais tenté de l'interroger sur son passé. Sans succès !

Quel était ce secret qui faisait qu'il n'était jamais complètement mien ?

Le 15 juin 1969, soir du second tour des élections, Denis fut convié par Valéry Giscard d'Estaing, dans un salon privé parisien, pour attendre l'annonce des résultats définitifs. Je l'avais accompagné bien malgré moi, car je détestais les mondanités.

Même si j'avais mûri, même si j'avais appris à me maquiller et à m'habiller avec des toilettes ajustées à ma morphologie, je restais gauche et complexée dès que j'étais en présence d'autres femmes de la haute société. Ma gêne était tellement visible que Denis acceptait bien souvent que je le laisse seul et trouvait pour moi les excuses les mieux adaptées.

Je savais qu'il aurait préféré une épouse qui le mette en valeur, une femme vers qui tous les regards se seraient tournés, mais je n'étais pas cette femme-là.

Les résultats marquaient une abstention record de 31 % et consacraient, sans appel, la victoire de Georges Pompidou avec 58,2 % des suffrages exprimés, mais seulement 37 % des inscrits. Les taux atteints réjouissaient le parti de mon époux conforté par la nécessité d'une offre politique nouvelle, celle de Giscard d'Estaing.

Les perspectives d'une véritable carrière politique s'offraient à lui : Valéry Giscard d'Estaing était pressenti comme ministre des Finances.

Le champagne coulait à flots. Cette nuit-là, Denis se montra particulièrement tendre…

Il fut rapidement décidé que Denis Maréchal serait le meilleur représentant local des Républicains Indépendants. C'est donc à cette période qu'il entra réellement en politique pour porter sa propre parole. Jeune, brillant, excellent orateur, il plaisait au plus grand nombre, sa voix commençait à être entendue.

J'aimais ces moments où dans la plus stricte intimité, il me lisait son prochain discours et me demandait mon avis. J'avais hésité à le lui dire, mais je trouvais que globalement les allocutions qu'on lui préparait manquaient un peu d'humanité. Denis était tellement persuadé du bien-fondé de ses idées, qu'il oubliait que, pour convaincre, il fallait d'abord séduire.

La première fois que je lui proposai une version un peu édulcorée, il fut surpris par mon audace, mais, suivant son intelligence instinctive, il décida de suivre mes conseils. Le discours qu'il prononça ce week-end-là fut de loin le plus applaudi. Denis comprit à quel point je pouvais lui être utile, aussi, il ne validait plus aucun discours sans mes amendements.

Pourtant, je commençais à détester cette nouvelle notoriété qui l'obligeait à voyager et l'éloignait souvent de moi. Je maudissais particulièrement ces femmes qui l'attendaient à chaque réunion publique, partout où il se rendait. Si ses seules opinions pouvaient convaincre les hommes, c'est bien sa prestance, son aisance et son sourire charmeur qui finissaient de séduire l'électorat féminin. Denis s'en amusait lorsque je le lançais sur le sujet.

Ses meetings étaient de plus en plus fréquents et de plus en plus éloignés de la maison. Il partait souvent pour plusieurs jours accompagner son mentor Valéry Giscard d'Estaing.

Ses absences me laissaient totalement désœuvrée, je ne mangeais plus, je ne dormais plus… J'attendais son retour en comptant les secondes qui nous séparaient.

Denis était ailleurs, préoccupé, fatigué, parfois même agacé devant mon impatience de le retrouver. À peine avait-il franchi la porte, que je le serrais dans mes bras, j'embrassais ses mains, en pleurant.

– Enfin Lucile, laisse-moi respirer, tu es ridicule !

Je ressentais son irritation, mais devant ma tristesse et ma tendresse passionnée, il se reprenait et me proposait un visage souriant et attentif. J'étais tout à fait consciente du fait que mon attitude était totalement puérile, mais je ne pouvais m'empêcher de trembler.

C'est à cette période que je commençai à fréquenter un atelier d'écriture. Depuis toujours, les mots, accrochés un à un pour finir par constituer des histoires me captivaient. J'avais commis quelques poèmes, puis quelques nouvelles qui avaient trouvé grâce auprès de mes professeurs de littérature. Adolescente, écrire m'avait aidée à m'échapper de mon quotidien, en me permettant de construire un monde meilleur…

C'est Denis qui avait eu l'idée de m'inscrire à cet atelier.

– Il est important pour ma carrière, que tu t'intègres davantage dans la vie associative locale.

– Mais je ne connais personne.

– Justement, cela te fera le plus grand bien. Peut-être même trouveras-tu une amie.

Il ne croyait pas si bien dire. L'ambiance de l'atelier était chaleureuse, nous étions huit femmes et trois hommes qui échangions sur les techniques du roman, de la nouvelle ou du conte pour enfants. Alice, l'animatrice, nous donnait chaque semaine un nouveau thème à explorer à travers l'écriture d'une nouvelle.

J'étais la plus jeune, aussi, toutes et tous s'occupaient de moi comme si j'avais été leur fille, sauf Marie qui se comportait plutôt comme une grande sœur. J'aimais beaucoup Marie qui me rappelait ma cousine Perrine. Souvent, après l'atelier nous prenions un thé en bavardant de tout et de rien. J'appréciais sa compagnie et je sentais que je pourrais lui faire des confidences.

***

Fin 1969

L'été s'annonçait torride, il n'avait pas plu depuis plus d'un mois et les prévisions météorologiques ne faisaient pas état de précipitations significatives. Le temps chaud et sec devait perdurer et compte tenu de la situation hydrologique, des restrictions de l'usage de l'eau étaient annoncées.

J'avais fait plusieurs malaises que je mettais sur le compte de la chaleur, mais je devais bientôt me rendre à l'évidence, à ma plus grande joie.

J'étais enceinte !

Dès que le médecin me confirma ma grossesse, je courus rejoindre Denis occupé dans son QG de campagne.

– Mon chéri, viens voir, viens s'il te plaît, viens, fis-je en le prenant par le bras.

Je tenais à la main les résultats de l'analyse de sang qui annonçait un test positif.

– Voyons Lucile, dit Denis d'humeur joyeuse, tu vois bien que je suis occupé, qu'as-tu donc de si urgent à me dire que cela ne puisse attendre l'heure du déjeuner ?

Je lui tendis mes analyses en éclatant en sanglots. Perplexe, un peu inquiet devant ma réaction, il se précipita pour lire la lettre.

– Lucile, est-ce que… ?

– Oui, mon chéri, tu vas être Papa !

D'habitude sobre en gestes affectueux, il me prit dans ses bras et me fit tournoyer jusqu'à ce qu'il me repose, tout penaud.

– Je suis désolé, je dois faire attention et prendre soin de toi, de vous…

La nouvelle se propagea rapidement. Ma grossesse me rendait euphorique. Je me sentais belle. J'arborais un air de plus en plus épanoui à mesure que mon ventre s'arrondissait. Cet enfant était la consécration de notre union. Je savais pertinemment que mon amour pour Denis était bien plus fort que le sien. Je l'acceptais !

Pendant ces neuf mois, Denis fut plein d'attentions pour moi, j'exultais.

Nathan naquit le 17 mars 1970. C'était le plus beau de tous les bébés, j'avais prié le ciel, pendant toute ma grossesse, pour qu'il ressemble à Denis. Mon vœu avait été exaucé : ses traits avaient la même délicatesse, la forme de ses yeux était semblable. Déjà, on devinait combien ce petit corps dodu deviendrait grand et fort.

Nathan était un nourrisson facile qui me comblait un peu plus tous les jours. Chaque matin, je couvrais de baisers ses petits membres potelés à souhait, le moindre de ses sourires me faisait fondre de tendresse. J'étais à l'affût de ses plus petits gazouillis, j'étais folle d'inquiétude au moindre rhume. Il était ma chair, il était mon sang et je n'imaginais pas pouvoir vivre sans lui.

De son côté, Denis, en papa fier de son fils, le présentait à tous les habitants du village. À la naissance de Nathan, il m'avait offert une chaîne en or et une perle de Tahiti montée en pendentif, que je portais au cou. Un clin d'œil à mes envies de voyage et à la couleur du lagon.

Je tremblais de bonheur, même si une douloureuse angoisse m'envahissait lorsque je le voyais anxieux à ses moments perdus. Quel était ce secret qui le minait ? Qu'avait-il perdu en m'épousant ?

Je devais, hélas, l'apprendre un jour, à mes dépens.

***

2003 – Hôtel du Puy-en-Velay, Marianne

Le réveil marquait 3 heures 47, je soupirai.

Concentrée sur ma lecture, je n'avais pas vu le temps s'écouler. Il fallait absolument que je dorme un peu.

Je reposai précieusement les feuillets jaunis et me laissai aller sur l'oreiller, perturbée par ce que je venais de lire.

8

Une histoire d'amour inconditionnel

Décembre 2003 - Le Puy-en-Velay

C'était mon premier jour de travail dans mes nouvelles fonctions. J'avais réussi à camoufler ma nuit sans sommeil sous un léger maquillage. L'agence du Puy était idéalement située : place du Plot, dans la vieille ville, un secteur où l'architecture médiévale avait été bien préservée.

Je cheminais à travers le centre ancien depuis mon hôtel. C'était un jour de marché : sous les auvents colorés, les producteurs locaux vantaient leur agriculture biologique et leurs produits fermiers. En arrivant près de la fontaine, je m'étais laissé convaincre par un crémier de sentir son fromage aux artisons, une spécialité artisanale du Velay, confectionnée à partir de lait cru de vache.

J'allais enfin connaître mon heure de gloire et réaliser mon rêve : devenir directrice d'une agence immobilière dans une ville conséquente. Préfecture du département, la commune du Puy-en-Velay restait, malgré tout à taille humaine. Entouré d'un écrin de verdure encore largement protégé, l'endroit s'avérait être un véritable petit bijou.

J'y serais bien, j'en avais la certitude. Et puis, je me rapprochais de mes parents et de mes amis, Saint-Étienne n'étant plus qu'à 75 kilomètres. J'étais aux anges !

Il était 9 heures sonnantes au clocher de la place lorsque j'entrai dans l'agence. Sur les boiseries bleues de la porte d'entrée, était gravé le logo de la Société Logeathlon : une hirondelle aux ailes déployées, symbole d'une personnalité prompte à agir et messager de bonnes nouvelles.

L'ambition du groupe était de guider les citoyens dans leurs démarches résidentielles, sans que la recherche d'un logement soit un parcours du combattant. J'appréciais cette notion et je partageais les valeurs éthiques que la société proposait. Yann m'attendait avec toute l'équipe, il avait fait livrer un petit-déjeuner composé de café, de viennoiseries et de jus de fruits. Deux bureaux étaient disposés en V à l'entrée, l'un pour l'accueil de la partie locative, et l'autre dédié à la vente. Derrière, une salle d'attente originale meublée de deux bancs en forme de demi-sphères placés de part en part d'une composition florale d'à peu près un mètre de hauteur. Un petit couloir desservait quatre bureaux vitrés, dont le plus grand m'était destiné.

Je fis connaissance avec mes futurs collaborateurs. Florence et Solène assuraient la réception des clients, et se partageaient le secrétariat des gestionnaires ainsi que la comptabilité.

— Robin gère un portefeuille de deux cents biens en location, m'expliqua Yann.

D'un signe de tête, je montrai que je connaissais parfaitement l'ampleur de la tâche.

Je savais qu'il leur avait déjà dévoilé mon cursus, mais j'avais bien l'intention de me présenter, plus en détail, lors d'une première réunion de service que je comptais programmer au plus tôt.

— Quentin est à la manœuvre sur la gestion d'une centaine de copropriétés et Chloé assure la partie vente de patrimoine.

— Enchantée ! Je serrai vigoureusement la main de chacun d'eux.

— Voici votre bureau.

Un joli bouquet de fleurs multicolores trônait au centre d'un meuble classeur.

— Merci pour la délicate attention, j'apprécie beaucoup.

Le reste de la matinée fut consacré à la découverte des dossiers sensibles. L'organisation administrative de l'agence n'avait aucun secret pour moi. Dans la société Logeathlon, toutes les agences fonctionnaient de la même façon, selon des procédures clairement identifiées que chacun devait suivre à la lettre. Un même logiciel de comptabilité, un même logiciel de suivi des propriétés qui nous étaient confiées, une même façon de classer les dossiers. J'en percevais d'autant plus l'intérêt aujourd'hui, puisque cela me permettait de savoir où et comment chercher les renseignements dont j'avais besoin.

L'ancien directeur de l'agence du Puy avait avancé ses droits à la retraite pour rejoindre sa fille mutée aux Antilles. Ce départ précipité ne nous ayant pas permis de nous croiser, c'est Yann qui avait assuré l'intérim, en attendant mon arrivée. C'est donc à lui qu'il revenait de me transmettre les affaires courantes et les dossiers litigieux.

***

La journée s'écoula très rapidement, mon patron m'invita à dîner pour conclure la passation. Il avait hâte de reprendre sa vie dans le sud de la France. Il fut convenu qu'il ne partirait que le surlendemain, ce qui me laissait le temps de visiter les quatre appartements sélectionnés par Robin sur la base de critères définis avec lui.

J'étais pressée de m'installer dans cette nouvelle vie. Tout me plaisait, mes collègues, les lieux, même si je jugeais la décoration de l'agence un peu vieillotte. De toute évidence, l'affaire était particulièrement saine.

Je n'avais pas eu le temps de penser à l'histoire de Lucile, pas vraiment, devrais-je dire, mais suffisamment pour imaginer la jeune femme chaque fois que mon esprit s'échappait.

Le temps m'était compté et il me fallait à tout prix faire le point sur le dossier financier de l'agence. Je commençais l'examen de plusieurs notes laissées par mon prédécesseur lorsque mon téléphone portable vibra.

La photo de ma mère apparut sur l'écran, je décrochai.

– Allô ?

– Coucou ma chérie ! Alors, cette première journée ? Nous avons pensé très fort à toi, ton père et moi. Je t'écoute, raconte.

Ma mère, volubile, laissait toujours très peu de temps à ses interlocuteurs pour répondre.

– Je suis ravie. Tout s'est bien passé, l'accueil a été très chaleureux, tu sais.

– Et l'équipe, que penses-tu de tes collaborateurs ?

– Ils sont tous sympathiques et très professionnels, en tout cas c'est comme ça que mon directeur me les a décrits, et d'après ce que j'ai pu voir, je veux bien le croire.

– Est-ce que tu as pu repérer les lieux ? Sais-tu où t'installer ?

– Doucement, laisse-lui le temps d'arriver.

J'entendais mon père qui parlait derrière elle. Je compris qu'il lui prenait le combiné.

– Bonjour, Papa, comment vas-tu ?

– Très bien, ma chérie. Au fait, Philippe continue à faire le point sur tes recherches. Il semble préoccupé par quelque chose, et tant que tout ne sera pas limpide, il ne te répondra pas.

– Remercie-le de ma part. Papa, je compte sur lui, cette affaire est bien compliquée.

– Ma chérie, j'ai vu de magnifiques rideaux dans un petit magasin au centre-ville, j'ai hâte de t'aider dans ton installation.

Ma mère lui avait arraché le téléphone des mains.

– Oui, Maman. Laisse-moi déjà trouver l'appartement, veux-tu ?

Sans relever l'ironie de ma remarque, elle entreprit de me démontrer en quoi les murs blancs étaient un élément essentiel d'une décoration réussie. J'acquiesçai d'autant plus volontiers que j'en étais moi-même persuadée.

En raccrochant, je me mis à imaginer l'appartement de mes rêves, une grande pièce à vivre, avec une cuisine ouverte, deux chambres, un grand balcon et surtout une baignoire.

Épuisée, j'avais décidé de me coucher tôt pour faire face à la journée marathon qui m'attendait le lendemain. En même temps, le besoin de connaître la suite de l'histoire de Lucile me titillait. C'était plus fort que moi, c'était comme si elle me le demandait.

Elle avait découpé son récit avec des titres ou des dates comme on le fait pour un journal intime. Sans état d'âme, je replongeai dans ce qui me semblait être sa vie.

***

Automne 1970

Le temps passait, vite..., très vite. Nathan, mon adorable bambin, mon petit prince qui me remplissait de bonheur, avait déjà six mois. Mon mari s'était lancé à corps perdu dans la campagne pour les élections municipales qui devaient avoir lieu en mars 1971. J'exécrais ces moments qui nous séparaient, Denis, Nathan et moi. Quand il n'était pas là, j'étais désemparée, cherchant partout un peu de sa présence en me rongeant les sangs. J'étais malade à l'idée de le savoir heureux au milieu de toutes ces femmes qui tenteraient une fois encore de lui plaire.

La direction de la scierie et l'enchaînement de meetings qu'il menait de front avaient eu raison de son tempérament enjoué. Souvent fatigué, il était devenu impatient, odieux, parfois même cruel. À chacun de ses retours, Denis supportait de moins en moins mon visage triste, mes yeux cernés, gonflés par les larmes versées. Il réprouvait mon empressement à le servir et ne manquait pas de me critiquer ouvertement.

– J'en ai assez, Lucile, tu dépasses la mesure, ton amour m'étouffe. Toi et moi n'éprouvons pas les choses de la même façon. Regarde-toi, ma pauvre femme, tu es devenue pathétique !

Plus je sentais sur moi son regard empreint de reproches, plus je m'enfonçais…

Le 14 mars 1971, les résultats du premier tour des élections portèrent Denis Maréchal en tête pour devenir maire de la commune de La Chapelle-Geneste. Il lui restait encore à convaincre « les vieux du cru », aux yeux desquels il paraissait un peu jeunet. Son concurrent direct, étiqueté centre droit, avait mené une belle campagne. Il le talonnait de peu. Entre les deux tours, Denis intensifia ses déplacements dans les fermes et les maisons les plus reculées pour persuader un à un, tous les Chapellons et les Chapellonnes. L'enjeu était de taille pour battre son adversaire.

Au début très discrète, Gisèle Philippon son amie d'enfance, s'était rapprochée de lui. Au fur et à mesure, il apparaissait qu'elle prenait davantage de place et d'influence dans sa campagne municipale. Elle avait activé son réseau de connaissances et œuvrait dans l'ombre pour son élection. On les voyait de plus en plus souvent ensemble, c'est elle qui avait choisi ses dernières affiches. Des bruits couraient sur leur compte : on prêtait à Denis une liaison avec cette jolie rousse. Sur le marché, plusieurs personnes s'étaient tournées vers moi... avec un air compatissant. Marie avait fini par m'alerter.

– Lucile, je ne sais pas comment aborder le sujet, mais je dois te parler.

Devant mon air interrogateur, elle continua.

– Ces temps-ci, on a beaucoup vu Denis avec une femme, Gisèle Philippon. Heu... Elle et Denis semblent très proches, ils se connaissent depuis longtemps ?

– Oui ! Et alors ? C'est normal qu'on les voie beaucoup ensemble, elle l'accompagne dans sa campagne. Bien sûr qu'ils sont proches, ce sont des amis d'enfance. Ça ne veut pas dire qu'ils couchent ensemble, n'est-ce pas ?

Je fulminais, j'étais moi-même surprise par le ton que je venais d'employer, on aurait dit que je crachais du venin contre cette pauvre Marie.

– Alors rien ! Si cela ne t'inquiète pas, il n'y a rien à dire. Seulement..., on ne peut pas empêcher les gens de jaser.

Cette petite graine plantée par Marie en me dévoilant ses soupçons allait grandir et se développer dans mon estomac. Les douleurs qui me tenaillaient de plus en plus fréquemment étaient devenues insupportables. Des brûlures, des crampes au moment des repas… Les remontées acides de plus en plus fréquentes avaient fini par atteindre mes cordes vocales. Le médecin que je consultai alors m'apeura.

– Vous devez absolument faire des analyses poussées. Il est certain que vous faites du reflux gastrique, mais je crains que vous souffriez d'un ulcère à l'estomac. Je vous envoie immédiatement à l'hôpital d'Ambert pour passer une fibroscopie et une coloscopie.

– Impossible, docteur, mon mari est en pleine campagne pour les élections municipales et je dois prendre des dispositions pour faire garder Nathan.

– Allons, Lucile, il ne s'agit que d'une seule nuit d'hospitalisation, ne me dites pas que vos parents ne peuvent pas garder Nathan. Si vous refusez, j'appelle votre mari pour lui expliquer la situation.

– Non ! Surtout n'en faites rien ! criai-je. Je vais m'arranger, je vous promets de prendre rendez-vous pour la fin de la semaine.

– Je ne vous lâcherai pas, Lucile, soyez-en certaine, reprit-il en me menaçant du doigt.

Comme convenu lors de la rénovation de la bastide, mes parents vivaient à l'étage au-dessous du nôtre. La cohabitation n'avait que des avantages : elle permettait à mon père de participer activement à la campagne de Denis, dans son quartier général, situé au rez-de-chaussée. Et, en cas de besoin, je profitais de Mère pour garder Nathan.

Je pris mes dispositions pour entrer à l'hôpital le jeudi matin, l'examen devait avoir lieu l'après-midi et, selon mon état, je pouvais sortir dès le lendemain midi. Denis, qui avait appelé le médecin pour en savoir plus, avait changé d'attitude. Plus conciliant, il avait passé la soirée à la maison et nous avions eu des échanges amicaux.

Pour la première fois, il avait fait allusion à cette fameuse Gisèle.

– Je ferai en sorte que tu aies rapidement tes résultats.

– Vraiment ?

– Oui, j'ai quelques relations à l'hôpital d'Ambert, en particulier une vieille amie qui est biologiste et pharmacienne.

Devant mon silence, il continua.

– Je la connais depuis très longtemps, elle ne pourra pas me refuser ce service. D'ailleurs, je vais lui demander de veiller sur toi.

– Je t'en remercie.

Bien sûr, je n'en pensais pas un mot, mais j'étais curieuse de croiser cette femme dont tout le monde parlait.

Je n'étais pas à mon avantage lorsque je la rencontrai pour la première fois. Le visage défait, les traits tirés, vêtue d'une blouse en papier fournie par l'hôpital et couverte d'une charlotte sur la tête. Je sortais de la prise de sang lorsque je vis arriver une splendide rousse. Avec ses cheveux épais aux reflets cuivrés, qui ondulaient sur ses épaules, son petit nez fin, à peine retroussé, de grands yeux verts, elle était ravissante. Elle portait une blouse blanche ouverte sur un ensemble couleur caramel qui mettait en valeur sa silhouette et son teint de porcelaine.

Elle s'approcha de moi en souriant, le parfum qui suivait son sillage arriva jusqu'à moi. Des effluves de vanille : « Shalimar, c'est certain », aurait dit ma cousine Perrine. Gisèle Philippon me tendit une main ferme et chaude. Je me présentai.

– Lucile Maréchal.

Je vis son sourire se transformer en rictus.

– Alors, c'est vous la femme de Denis ? Je ne vous imaginais pas ainsi.

Je sentais dans sa voix une pointe d'ironie, peut-être même d'animosité.

Mais très vite, elle se reprit.

– Denis m'a demandé de veiller sur vous, de vous choyer, alors, pour commencer j'ai demandé que vous soyez transférée à mon étage. Cela me permettra d'être plus proche de vous. Ne craignez rien, le docteur Coti qui s'occupe de vous est un excellent gastro-entérologue.

Je balbutiai un vague « merci » en resserrant ma blouse en papier. J'eus à peine le temps de réfléchir que déjà, on venait me chercher pour pratiquer l'examen.

Le réveil fut assez difficile : j'étais très faible et ma tension ne cessait de chuter. Il était au moins 18 heures lorsque l'anesthésiste consentit enfin à me laisser quitter la salle de réveil. Une infirmière m'accompagnait en me soutenant. Arrivée près de ma chambre, j'entendis un grand éclat de rire, franc, cristallin et je vis Denis, rayonnant, serré contre Gisèle.

Devant ce charmant tableau, je m'évanouis… de chagrin.

Lorsque je revins à moi, j'étais dans mon lit, la tête calée contre l'oreiller.

— Ah ! Je préfère ça, s'exclama l'infirmière en tapotant mes joues, votre visage reprend enfin quelques couleurs. Buvez ça, allez ! D'un seul coup.

J'étais comme un petit enfant apeuré. Docile, je bus l'affreux breuvage d'un seul trait. Denis était toujours présent. L'air inquiet, il me prit la main.

– Tu m'as fait très peur, Lucile, il embrassait la paume de ma main. Je t'en prie, il faut vite guérir. J'ai parlé au docteur Coti, il n'y a pas d'ulcère, mais une inflammation de l'estomac. Avec un traitement approprié, tout pourra s'arranger. Il passera te voir ce soir. Gisèle reviendra plus tard pour rester un moment avec toi. Fais-le pour moi, remets-toi vite.

– Je te promets de faire le maximum, lui dis-je en tentant de sourire, va mon amour ! Va retrouver Nathan et rassurer mes parents.

Denis m'embrassa longuement. Il paraissait sincèrement affligé par mon état. Se pouvait-il que j'aie mal vu, que j'aie tout inventé ?

Plus tard dans la soirée, le docteur Coti m'expliqua ce qu'il me fallait faire pour améliorer la situation. Il me prescrivit un traitement antiacide et me demanda de suivre quelques règles hygiéno-diététiques : je devais éviter les repas copieux ou trop gras et l'alcool, ce qui ne me posait aucun problème. Il me conseilla également de ne plus boire de café ni de boissons gazeuses. Par ailleurs, il me recommanda de dormir en position inclinée, presque assise, grâce à des cales placées sous la tête de lit. Je n'étais pas certaine que Denis se prête au jeu. Mais surtout, il insista pour que j'arrête de me faire du mauvais sang – ce qui me paraissait totalement impossible, vu mes prédispositions à l'anxiété.

Gisèle passa me voir beaucoup plus tard ; j'étais somnolente, l'infirmière m'avait administré un somnifère pour que je récupère en passant une bonne nuit. Elle demeura à mon chevet à me contempler l'air troublé, perturbé. Je ne me souviens pas d'avoir soutenu une conversation, mais plutôt de quelques bribes de paroles qu'elle semblait s'adresser à elle-même : des souvenirs de son enfance, de ses vacances passées chez sa tante dont la maison jouxtait celle de Denis. Elle parlait de leurs jeux, de leurs rires, de leur complicité, puis de leur amour plus tard, à Paris.

Je ne sais pas combien de temps elle est restée dans ma chambre, mais je sais ce que j'ai éprouvé : de la crainte, de l'inquiétude…

Avant qu'elle ne me quitte, je sentis son souffle sur mon front lorsqu'elle murmura à mon oreille.

– Denis est à moi, depuis toujours. Votre mariage n'est qu'un arrangement, tu n'es qu'un placement financier pour lui. Je sais qu'il n'a jamais cessé de m'aimer, tu ne vois donc pas à quel point il est malheureux avec toi. Je suis prête à tout et il me reviendra bientôt, il me suffit juste de patienter un peu. Tu n'es rien pour lui, je suis la seule qui le comprenne et qui sache l'aimer.

***

Denis vint me chercher comme prévu le lendemain. Il était pressé, mais prit le temps de m'installer confortablement dans l'appartement. Il avait beaucoup ri à l'idée de soulever le lit de mon côté et me promit de m'envoyer quelqu'un de la scierie pour voir ce qui était faisable. Je ne lui parlai pas de cette singulière soirée passée avec Gisèle.

En réponse à mes questions, il me donna les derniers sondages : le score était très serré. Pour cette dernière ligne droite, Gisèle continuait à épauler Denis, elle organisait des goûters chez sa tante, où elle invitait la vieille garde. Elle leur rappelait qu'il était un enfant du village, ce qui faisait qu'ainsi, contrairement à son adversaire, il connaissait mieux que les autres les problèmes et les souhaits des habitants.

Gisèle, telle une fée, avait toujours dans les poches le petit remède miracle qui soulagerait Eulalie de ses rhumatismes ou Eugénie de ses maux de ventre… !

9

Le fardeau

Décembre 2003 - Le Puy-en-Velay

J'étais émue à la lecture des mots de Lucie. Songeuse, j'essayais de comprendre ce qu'elle avait pu éprouver. Après avoir bu un verre d'eau, je repris la lecture de ses confidences.

***

Printemps 1971

Quatre jours après le premier anniversaire de Nathan, le 21 mars 1971, Denis fut élu à La Chapelle-Geneste : il devenait le plus jeune maire de France. J'étais fière de participer à la fête donnée pour sa victoire. Elle devait avoir lieu à son QG, au rez-de-chaussée de la bastide. Tout le gotha était invité.

Maryse, son assistante m'avait consultée pour l'organisation. Ensemble, nous avions prévu le buffet, les boissons, la musique et la décoration... Satisfait, Denis nous avait gentiment félicitées. Père était heureux lui aussi, le champion sur lequel il avait misé avait gagné son entrée dans le monde des grands.

J'avais, pour l'occasion, revêtu une robe noire qui me mettait en valeur. J'avais raccourci mes cheveux et cette nouvelle coupe me seyait parfaitement. J'avançais avec aisance au milieu de nos invités lorsque la porte s'ouvrit sur une créature de rêve. Gisèle fit son entrée. Sublime, comme à son habitude. Denis s'avança pour la saluer. Un peu trop vite à mon goût. La soirée était gâchée. Renfrognée, je me dérobai dans un coin de la pièce. Gisèle vint me saluer.

– Bonsoir Madame Maréchal, je me réjouis de vous voir en meilleure santé.

Ses yeux disaient exactement le contraire. Je sentais sur moi l'œil aguerri du soignant qui examine son malade.

– Tiens, les deux plus jolies femmes de la soirée, nous flatta Denis en me prenant par le cou. Chérie, as-tu dit à Gisèle que tu vas bientôt revoir le docteur Coti ?

– Vraiment ? questionna Gisèle.

– Oui, un contrôle, mais je suis sereine, tout est rentré dans l'ordre.

– Vous avez déjà réalisé les examens ?

– Non, je dois prendre rendez-vous la pour faire une radio et des prises de sang.

– Eh bien… Venez, disons, mardi matin, pas celui qui vient, le suivant. Je m'occupe de vos rendez-vous. Ensuite, nous déjeunerons ensemble.

J'allais refuser lorsque Denis me devança.

– Très bonne idée ! Gisèle va te faire gagner du temps ma chérie, rien de plus lugubre que d'attendre dans un hôpital. Écoutez, si mon emploi du temps le permet, je viendrai vous rejoindre pour le café.

Déjà, il repartait, happé par une personnalité.

– Alors, disons 9 heures 30, me proposa Gisèle, avant d'aller le rejoindre.

Les jours suivants Denis fut de plus en plus absent. Son programme était totalement différent de celui de son prédécesseur et le fait de le mettre en œuvre nécessitait de constituer une équipe solide ainsi qu'une présence de tous les instants. La flamme qui brillait dans ses yeux montrait à quel point il était heureux de ce challenge. C'était un homme d'action, un convaincu qui ne ménagerait pas sa peine pour tenir ses promesses de campagne.

À le voir aussi satisfait, je décidai de m'accommoder de cette nouvelle vie dans laquelle Denis partageait avec moi ses préoccupations. Et puis, j'avais Nathan qui m'apportait tant de joie. Je me résolus à prendre la vie du bon côté.

Lorsque j'arrivai à l'hôpital pour pratiquer mes examens de contrôle, Gisèle me fit savoir par une collègue qu'elle était retenue, mais qu'elle avait laissé à l'accueil le programme de la matinée. Prise de sang, échographie, radiographie, rien ne me fut épargné. Il était plus de midi lorsqu'elle me rejoignit, pimpante comme à son habitude. Son parfum aux essences sensuelles embaumait le couloir sur son passage.

– Denis nous propose de le retrouver dans un petit restaurant en face de l'hôpital.

– Alors, allons-y, je ne voudrais pas faire attendre mon précieux mari.

Le déjeuner fut plaisant. Denis, joyeux, jonglait de l'une à l'autre, son sourire enjôleur me pénétrait le cœur. Il était très attentionné à mon égard, j'en étais particulièrement ravie.

Il fut décidé que Gisèle m'enverrait les résultats, ce qui m'évitait d'attendre ou de revenir les récupérer à l'hôpital. J'étais venue en taxi, nous sommes rentrés ensemble lui et moi. J'étais tellement heureuse à ses côtés !

Cette nuit-là fut mémorable. Jamais nous ne nous étions aimés aussi fort. Nos corps ne faisaient qu'un dans un ballet parfaitement rodé. Les mots que je lui susurrais à l'oreille décuplaient sa libido, libéraient ses fantasmes les plus fous. Bouillonnant, mon corps répondait sans attendre, anticipait ses désirs... Ivres de fatigue, nous nous endormîmes enlacés, abandonnés...

Le lendemain matin, je fus réveillée par le téléphone. Nathan était chez ses grands-parents et Denis était parti très tôt pour Paris, aussi, je m'étais rendormie, alanguie.

– Allô ?

C'était Gisèle.

– Bonjour, Lucile. Hum ! J'ai vos résultats.

– Oui, et... ?

– Eh bien, il n'y a rien de grave, mais cela mérite un complément d'analyse.

– Vraiment, quel complément ? Je vais en parler avec mon médecin...

– Écoutez, si vous en êtes d'accord, je vous fais préparer une ordonnance pour pratiquer ces nouveaux examens, mais vous serez obligée de revenir au laboratoire de l'hôpital. Ces analyses ne peuvent pas être faites n'importe où.

– Mais vous dites qu'il n'y a rien d'inquiétant et…

Elle me coupa un peu brutalement.

– Non ! Je vous l'ai dit. Si cela peut vous rassurer, je peux prendre rendez-vous pour vous dès ce matin. Êtes-vous à jeun ?

– Oui, je me réveille seulement maintenant.

– Très bien, sautez dans un taxi, je vous attends.

Gisèle était à l'accueil du laboratoire, elle m'embrassa. Surprise, je la questionnai.

– Voyons Gisèle, je veux tout savoir, que se passe-t-il de quoi s'agit-il ?

Elle avait l'air embarrassée.

– Pour l'instant ce n'est qu'une présomption… Comme je vous l'ai expliqué, il faut un complément d'analyse…

– Une présomption de quoi ? Gisèle, j'ai le droit de savoir !

– Certaines de vos cellules sanguines présentent une hypertrophie des endosomes.

– Ce qui veut dire… ?

– Êtes-vous sujette à l'anxiété ? Êtes-vous inquiète ou effrayée parfois sans raison ?

– Oui, cela m'arrive, comme à tous, je crois.

– Vous arrive-t-il d'être apathique, irritable puis euphorique ?

Je ne pouvais m'empêcher de penser à la nuit passée avec Denis pendant laquelle j'avais atteint un degré d'euphorie inexplicable.

– Avez-vous des troubles du sommeil, des troubles de l'appétit ?

– Oui, enfin, parfois… Pas vous ?

Je ne comprenais pas où elle voulait en venir.

– Ces signes, lorsqu'ils se conjuguent à vos résultats sanguins peuvent être avant-coureur d'une maladie : une forme précoce de la maladie d'Alzheimer.

Je vacillai devant la nouvelle. Gisèle me prit le bras et me fit asseoir.

– Voilà ce que je vous propose : vous allez faire immédiatement de nouvelles analyses. Inutile d'inquiéter votre famille pour le moment, attendons d'en savoir plus. Qu'en pensez-vous ?

– Oui, c'est mieux comme cela, je ne veux pas inquiéter Denis.

Ma vie a basculé à partir de ce moment-là et Gisèle m'est apparue alors comme une alliée très précieuse. Lorsque les premiers résultats sont tombés, j'ai su qu'il n'y avait pas de doute. La maladie était là, elle allait se développer en moi. D'un commun accord, nous avons décidé de cacher la vérité à mes proches.

Gisèle me proposa un traitement expérimental. Elle avait fait beaucoup de recherches et elle avait trouvé un protocole qui devait permettre de retarder les effets de la maladie. Ce secret nous avait rapprochées, elle était devenue ma confidente…, mon amie.

Denis appréciait notre attachement. Lui, était très occupé. Il avait conservé ses fonctions de conseiller particulier à l'Élysée et, dans le même temps, se consacrait totalement à la vie de ses administrés. Très vite et presque naturellement, ses compagnons l'avaient convaincu de viser la députation, un projet à la hauteur de cet homme ambitieux. Officieusement, la campagne pour les élections présidentielles de 1974 était déjà lancée.

Nathan, mon petit bonhomme, était merveilleux. Tout le monde l'adorait. Pour moi, il était la septième merveille de l'univers. Il avait marché dès 11 mois, curieux de tout il se déplaçait dans l'appartement, en conquérant. Parfois, je le retrouvais allongé sous un meuble, en train de retirer des petits bouts de n'importe quoi, qu'il examinait avec l'air le plus sérieux du monde.

Souvent, le soir, lorsque je l'endormais, il mettait ses petits bras potelés autour de mon cou en disant : « M'aime Maman » et je fondais d'amour devant mon petit ange.

Qu'est-ce qui arriverait lorsque je… Cette pensée me faisait frémir d'horreur.

Mes parents avaient beaucoup vieilli. Mon père, âgé de 76 ans, ne se levait presque plus de son fauteuil où il passait sa journée, somnolent, devant la fenêtre de son salon. Mère un peu plus alerte, sortait peu. Il lui arrivait encore de garder Nathan, mais seulement en cas de nécessité absolue.

Impossible de les mettre dans la confidence, cela leur aurait été fatal. Non, Gisèle était ma seule confidente et j'avoue qu'elle prenait toujours le temps d'écouter mes doutes, mes peurs, et d'essuyer mes larmes. Je prenais très sérieusement le traitement qu'elle me donnait. J'étais prévenue, les résultats ne seraient pas immédiats et peu spectaculaires, mais cela valait la peine. De toute façon, je n'avais pas d'autre alternative.

Quelques troubles insidieux confirmaient que la maladie se développait inexorablement. Je ne parle pas des rendez-vous oubliés, des numéros de téléphone effacés de ma mémoire, mais plutôt de ce que j'appelle des accidents de langage lorsque, malgré moi, je remplaçais un mot par un autre. Parler d'une voiture au lieu de la nature ou d'une ficelle à la place d'un rebelle rendait mes phrases incompréhensibles. J'avais peur de moi, de mes réactions… J'étais inquiète pour ma famille. Il m'arrivait même d'oublier le chemin de la crèche ou de la maison et je me retrouvais à errer près de chez moi, totalement affolée. Pour que mon entourage ne se rende compte de rien, j'usais de subterfuges, je notais tout, je ne quittais pas la maison sans un plan.

Père s'éteignit doucement un matin de juillet, Mère ne lui survécut que peu de jours. Ils n'avaient jamais été démonstratifs, mais au fond de moi je savais à quel point ils m'aimaient, à leur manière. Je me sentais abandonnée.

Seul Nathan arrivait à m'arracher quelques sourires. Pour Denis, ma dépression venait du décès de mes parents. Je le laissai le croire, au fond, cela m'arrangeait, il n'y avait pas d'explications à donner. Il était de plus en plus souvent absent, il partageait sa vie entre Paris et la maison, en me laissant seule des semaines entières.

***

Printemps 1972

Après plus de six mois à suivre le traitement fourni par Gisèle, je devais la retrouver pour les résultats d'une nouvelle série d'analyses que j'avais effectuées. J'avais beaucoup changé physiquement : souvent nauséeuse, je mangeais du bout des lèvres, efflanquée, j'avais des cernes sombres sous les yeux. Je pris peur en voyant mon reflet dans le miroir. Il me fallait réagir pour Nathan, pour Denis…

À peine arrivée à l'hôpital, Gisèle me fit entrer dans un bureau annexe. Elle semblait irritée.

– Je n'ai pas de bonnes nouvelles, Lucile : la maladie a nettement progressé, les derniers résultats sont catastrophiques. Il va falloir adapter le traitement et augmenter les doses, mais ce n'est pas sans danger. Réfléchis bien, seras-tu capable d'accepter un nouveau protocole, un traitement plus lourd ? Tu dois savoir que tu ne seras plus en mesure de t'occuper de Denis ni de ton fils. Si tu en es d'accord, je te fais préparer une nouvelle ordonnance.

– Quelles seraient les autres solutions ?

– J'en vois au moins deux. Continuer comme ça et laisser s'amplifier la maladie en partageant ta déchéance avec ta famille. Ou bien partir, les quitter le temps que le nouveau traitement fasse effet. Rentre chez toi, je t'appellerai ce soir pour connaître ta décision.

Ce n'est plus possible, il est temps pour moi de rendre sa liberté à Denis. Gisèle a raison, je suis un fardeau si lourd pour lui et avec la maladie qui se développe en moi, le pire est à venir.

***

2003 – Hôtel du Puy-en-Velay, Marianne

C'était la dernière phrase écrite de la main de Lucile. Des traces de larmes avaient effacé les dernières lettres. Frissonnante, je tournai la dernière page manuscrite.

J'étais entrée dans la vie de cette femme avec un intérêt passionné.

Profondément émue, je sentais que cette histoire d'amour inconditionnel, ces intrigues, ces moments d'espoir et de désespoir m'avaient marquée au cœur. Dehors la nuit finissait, laissant la place au soleil qui commençait déjà son inexorable ascension…

10

Vérité ou fiction ?

J'avais réussi à m'assoupir une petite heure avant que mon réveil ne sonne. Je me réveillai en sursaut, préoccupée. Sous la douche, je restais hantée par mes rêves peuplés d'appartements aux murs blancs, et d'une jeune femme perdue dans les couloirs d'un hôpital…

Je décidai de ne rien dire à personne avant d'avoir éclairci quelques détails. De toute façon, Nathan n'était pas joignable et Denis n'était plus de ce monde. Il restait Gisèle, bien sûr, mais je choisis d'abord de m'assurer de la véracité des faits. En admettant que je détienne l'explication du départ de Lucile Maréchal, cela ne donnait aucune indication sur ce qui avait pu lui arriver.

Et si tout cela était faux ? Si les personnages auxquels je m'étais déjà attachée n'étaient que les héros d'une fiction inventée par une romancière débordante d'imagination ? S'agissait-il des délires d'une femme malade ? Se pouvait-il d'aimer avec autant d'abnégation ?

Et, à l'inverse, si tout cela était vrai… ?

Je passai la matinée avec Yann. Conformément à ma demande, il fut convenu que chacun des agents me consacre un moment pour visiter avec eux les biens de leur portefeuille. Cette étape était essentielle pour me permettre de visualiser la totalité de notre patrimoine et d'intégrer l'étendue de nos secteurs d'intervention.

Pour les biens en gestion, je demandai à Quentin de cibler les prochaines assemblées de copropriétaires qui réunissaient les plus gros bailleurs de l'agence. Il était d'ailleurs prévu que je les rencontre pour leur être présentée. La plupart d'entre eux étaient des notables influents localement, aussi me fallait-il leur montrer tout l'intérêt que Logeathlon leur portait.

J'avais obtenu de Yann un budget serré, mais suffisant, pour moderniser un peu nos locaux et organiser une sorte de journée portes ouvertes qui me permettrait de les connaître. Mises à contribution, Florence et Solène devaient me proposer le déroulé de l'événement et obtenir des devis pour une collation.

Les visites commencèrent l'après-midi même avec Chloé qui s'occupait des ventes dans le secteur de la Haute Ville. Un quartier sauvegardé, qui renferme de très nombreux trésors historiques et architecturaux comme l'imposante cathédrale et son cloître roman, bâtie sur le flanc du Mont-Anis,.

— Saviez-vous que la ville du Puy-en-Velay est fréquemment appelée le « Mont-Saint-Michel des Terres » ?

— Non, je l'ignorais.

— Ici, c'est l'Hôtel Dieu, compléta Chloé en me montrant un monument. Et là, sur la gauche, vous voyez ces hôtels particuliers aux façades colorées et ouvragées, nous y avons trois appartements à vendre, ils sont tous assez intéressants. On visite ? J'ai pris les clés.

Les logements avaient, en effet, été restaurés et modernisés avec beaucoup de goût.

À la fin de la journée, je lui proposai de boire un thé et de faire un débriefing. Globalement, j'estimais que les biens que nous avions à vendre étaient plutôt de bonne qualité. Mais d'après ce que j'avais pu voir en comparant les annonces de nos concurrents, les prix étaient souvent positionnés au-dessus du marché, ce qui expliquait que certaines propriétés restaient plus d'un an à la vente. J'avais également remarqué que nous avions très peu de mandats d'exclusivité.

J'étais très satisfaite de ce premier rendez-vous.

***

De retour dans ma chambre d'hôtel, je commençai par prendre un long bain avant d'examiner le reste du contenu de l'enveloppe trouvée dans la bastide des Maréchal.

J'ouvris ce qui me paraissait être un dossier médical. Il contenait des résultats d'analyses qui portaient sur les années 1971 et 1972. Des graphiques, des pourcentages, des comparaisons en valeur, tout cela était totalement incompréhensible pour moi. Je décidai d'appeler mon amie Karen, qui venait de terminer ses études de médecine.

– Allô ?

– Bonjour, Madame l'éminente biologiste, comment vas-tu ?

– Marianne, c'est toi ? Quelle surprise, d'où appelles-tu ? J'ai croisé ton père, il semble que tu t'installes en Auvergne.

– Oui, les nouvelles vont vite. Je viens de prendre mes fonctions de directrice de l'agence immobilière du Puy-en-Velay et je cherche un appartement.

– Félicitations, c'est une belle promotion. Tu devrais trouver rapidement un petit nid douillet, n'es-tu pas la mieux placée pour le trouver ?

– Hum ! Ne dit-on pas que les cordonniers sont les plus mal chaussés ?

– Sais-tu que Ronan Monneron vit au Puy-en-Velay ?

– Vraiment !

Je me redressai vivement sur mon fauteuil. « *Ronan, mon Ronan vivait ici !* » À l'évocation de son prénom, une bouffée de chaleur m'envahit. Je revis son sourire, ses yeux gris, ses cheveux bruns rasés courts. J'avais assez rapidement craqué pour lui et c'était réciproque.

Nous faisions partie de la même bande au lycée. Puis il était devenu champion régional d'escrime et défendait les couleurs de notre campus à la fac. C'est à ce moment-là qu'avait commencé notre relation. Nous étions passionnément amoureux l'un de l'autre au point de nous installer ensemble. Malgré moi, je ressentis un frisson à la pensée du contact de son corps musclé contre le mien.

C'était du sérieux, enfin je le pensais…, mais notre idylle s'était plutôt mal terminée.

J'avais eu la surprise de le découvrir dans les bras d'une jolie blonde… Ils s'embrassaient à la terrasse d'un café. C'était le soir de l'anniversaire de notre deuxième année de vie commune. La rupture avait été immédiate et, malgré ses demandes, je n'avais jamais voulu entendre son explication

« *Ah ! Orgueil, quand tu nous tiens !* » Ronan avait lui aussi fait des études de droit, mais contrairement à moi qui m'étais spécialisée dans l'immobilier, il avait préféré se tourner vers le droit pénal et la criminologie. Sans surprise, j'avais appris qu'il avait intégré la police aux renseignements généraux à Paris, mais j'ignorais son retour en province. Malgré mon silence, mon amie continua.

– Il a été muté au Puy, il est officier de police judiciaire.

– Ah !

Face à mon mutisme, elle changea de conversation.

– Saint-Étienne n'est qu'à une centaine de kilomètres, je crois.

– 77 kilomètres pour être précise, c'est parfait pour moi, ni trop près ni trop loin de mes parents. Juste ce qu'il faut pour couper le cordon, dis-je en éclatant de rire.

– J'espère que l'on fera une grande fête pour ton installation.

– Oui, compte sur moi, je pendrai la crémaillère dans les règles de l'art, mais si je t'appelle, c'est parce que j'ai besoin de tes lumières. J'ai retrouvé dans la maison d'un client un dossier médical et j'aimerais avoir ton avis sur son contenu.

– Tu n'y penses pas ! Et le secret médical alors ?

– Oui, bien sûr, j'en suis consciente, mais là c'est différent, la personne concernée a disparu. Je voudrais juste avoir ton avis sur son dossier.

– Pourquoi ?

Je la sentis hésiter.

– Les circonstances de sa disparition ne sont pas claires, je voudrais en savoir plus. Je t'en prie, juste un regard sur une dizaine d'analyses, s'il te plaît, fais-le pour moi.

– Tu m'auras tout fait faire. Qu'est-ce que tu cherches ?

– Je souhaiterai juste savoir si ce dossier te paraît clean.

– Clean ? Tu m'intrigues. Bon, envoie-moi par mail ce que tu as, je verrai ce que je peux faire.

– Tu es une sœur pour moi.

– À bientôt, fais-moi savoir dès que tu es installée.

– OK bisous ! Bisous !

Je repris l'enveloppe posée sur la table. Le deuxième dossier contenait une liasse de textes qui semblaient relever d'exercices, certainement menés dans le cadre de l'atelier d'écriture que suivait Lucile.

J'entamais la lecture de plusieurs nouvelles assez courtes : l'une portait sur le thème de la phobie, une autre sur l'eau, une autre sur les rencontres et la dernière sur l'amitié. J'aimais l'écriture de Lucile, j'appréciais son style. Un vocabulaire choisi, direct, sans fioritures, des phrases courtes. On sentait la volonté d'emporter le lecteur rapidement au cœur de l'action. Les dialogues étaient percutants, les situations cocasses. Elle semblait avoir beaucoup d'imagination et un talent certain.

Se pouvait-il que les feuillets ne soient finalement qu'un exercice littéraire parmi d'autres ?

Peut-être lui avait-on demandé une fiction basée sur son vécu, aussi avait-elle repris les personnes de son entourage, en gardant les mêmes prénoms. J'aurais aimé y croire, mais je sentais que la vérité était ailleurs…

11

Une rencontre inattendue

J'avais donné rendez-vous à Robin, au bar de l'hôtel pour un petit-déjeuner. Il me présenta les fiches des quatre appartements qu'il avait sélectionnés à mon intention.

– Alors Marianne, pour résumer, vous souhaitez deux chambres, une grande pièce à vivre avec une cuisine ouverte, et tout cela dans le centre de la vieille ville ?

– Une salle de bain avec une baignoire et aussi un balcon, précisai-je ?

– Et un garage ?

– Oui, c'est vrai, j'ai besoin d'un garage. Et libre immédiatement, bien sûr.

– Le budget ?

– Maximum 500 euros.

– J'ai !

Il me montra deux annonces qui correspondaient tout à fait à ma demande.

– Quand peut-on les voir ?

– J'ai les clés. Maintenant si vous voulez.

J'avalai rapidement mon café brûlant. Robin décida de faire le chemin à pied depuis l'agence afin que je puisse me rendre compte de la distance. C'était une excellente idée.

À cinq minutes de la place du Plot, il m'entraîna sous un porche, rue Raphaël, en plein centre de la ville médiévale. Il s'agissait d'un magnifique loft de 95 mètres carrés, en duplex, situé plein sud, avec une vue panoramique sur la ville. L'appartement refait à neuf, comprenait deux chambres : l'une de 16 mètres carrés et l'autre, en mezzanine, de 20 mètres carrés. J'appréciai particulièrement la salle de bain avec sa baignoire d'angle. La pièce à vivre, située dans le prolongement de la cuisine équipée, était lumineuse. Deux baies vitrées donnaient sur une petite terrasse. Une dernière petite pièce pouvait accueillir mon bureau d'étudiante.

– Combien ?

– 480 euros, charges comprises

– Je prends.

– Vous ne souhaitez pas voir l'autre ?

– Non, c'est inutile, je me projette très bien dans celui-là. Le quartier est calme ?

– Oui, et en même temps, vous y trouverez tous les services à proximité.

– Parfait ! Robin, vous êtes un génie. Quand pourrai-je emménager dans l'appartement ? J'avoue en avoir assez de vivre à l'hôtel.

– Je vais appeler le propriétaire afin qu'il débarrasse les meubles. Son fils aurait dû l'habiter, c'est pour cela qu'il avait fait livrer du mobilier neuf. Mais, finalement, il a changé d'avis, vous voyez, tout est encore sous plastique. Je pense qu'il cherchera à tout revendre.

Il y avait un lit et une commode dans la grande chambre, un canapé, deux fauteuils en cuir bleu, un meuble bas plutôt moderne et un téléviseur dans le salon. Dans la cuisine, une table en bois blanc et ses quatre chaises.

– Cela peut m'intéresser, pensez-vous que je puisse faire une offre ? Combien puis-je proposer, à votre avis ?

– Pourquoi pas ? On va lui demander son prix, je l'appelle immédiatement.

Deux heures plus tard, l'affaire était conclue. L'appartement étant habitable en l'état, je pouvais avoir les clés immédiatement après avoir signé le bail. Je pris le reste de la journée pour trouver le nécessaire afin de m'installer le soir même.

Malgré mes réticences, Solène et Chloé avaient tenu à m'accompagner dans les grandes surfaces pour me guider dans mes achats. Pendant ce temps, Robin s'occupait de l'abonnement aux différents réseaux (électricité, téléphone, Internet…), et contactait une entreprise spécialisée pour un ménage en règle.

Vers 22 heures, je m'affalai enfin, dans « mon canapé ».

L'appartement sentait bon le propre, le frigo était bien rempli et mes vêtements déjà rangés dans la commode de la chambre. Les murs blancs plairaient à ma mère. Je l'avais appelée dans l'après-midi pour convenir avec elle des modalités de mon déménagement. Les quelques meubles qui m'appartenaient étaient stockés chez mes parents à Saint-Étienne, car jusqu'ici, je n'avais connu que des meublés.

En fait, cet appartement était le premier dans lequel je pourrais véritablement m'installer et profiter des souvenirs que j'avais rapportés de mes voyages. Je décidai que cela méritait d'être arrosé. Je me servis un verre de Merlot que je dégustai avec des tomates-cerises. Un bouquet de fleurs embaumait le salon, un cadeau de bienvenue de mon équipe que j'appréciais à sa juste valeur. Je levai mon verre à ma santé : « *Hakuna Matata !* ».

Un peu lasse, je me laissai aller à imaginer ma future décoration. J'avais envie d'une ambiance cocooning, du lin, du bois, de la laine.

Ma pensée vagabonde finit par revenir à cette femme, Lucile. Nathan avait évoqué sa mère comme une personne souvent malade, aimante envers lui et très amoureuse de son mari. Que lui était-il arrivé ? Je repris les feuillets que j'avais précieusement rangés dans ma sacoche.

J'étais impatiente d'avoir les résultats de l'exploration de Karen, qu'allait-elle déduire de toutes ces analyses ? Je résistai à l'envie de l'appeler. Penser à Karen, me ramena à Ronan et à notre histoire.

Un frisson me parcourut l'échine. Je m'aperçus qu'il faisait un peu froid. Il était plus de minuit lorsque je sombrai enfin dans le sommeil, bienheureuse dans ma chambre aux draps couleur taupe.

***

Je me levai tôt ce samedi matin. Après un bref passage à l'agence qui restait ouverte de 9 heures à midi, j'avais prévu de me rendre à la poste pour effectuer mon changement d'adresse, et au centre commercial pour terminer mes achats. J'avais hésité la veille devant un joli tapis et deux cadres, il me fallait également un peu de vaisselle et un micro-ondes pour pouvoir être totalement autonome.

Emmitouflée dans ma doudoune, j'arpentais d'un bon pas les rues étroites et pavées de la vieille ville. Malgré les frimas de février, je croisai beaucoup de passants. Des touristes peut-être, ou bien des pèlerins au départ de la route de Saint-Jacques-de-Compostelle. Plusieurs vitrines, dont certaines gardaient encore les traces des fêtes de Noël, dévoilaient des carreaux de dentelle, des napperons, des rideaux, spécialités artisanales du cru. L'air froid me rougissait les joues.

Mon périple s'avéra plus sportif que prévu : je grimpai de ruelle en ruelle jusqu'à atteindre enfin le boulevard Saint-Louis. Je tentai de reprendre mon souffle lorsque je sentis une main se poser sur mon épaule.

– Mademoiselle Soulis ?

Étonnée, je fis face à l'inconnue qui m'interpellait.

– Madame Maréchal ?

Gisèle Maréchal, souriante, me tendait la main.

– Je suis heureuse de vous revoir. Notre première rencontre fut, hum ! Comment dire…, pleine de surprises.

– En effet, j'irais même jusqu'à dire, explosive !

– J'ai rendez-vous chez mon coiffeur, c'est un peu loin de chez moi, mais je lui suis restée fidèle.

Elle jeta un coup d'œil sur sa montre.

– J'ai une demi-heure devant moi, vous avez le temps de prendre un café ?

– Oui, avec plaisir.

Nous entrâmes dans un bar situé sur la place. L'odeur du café titillait mes narines, j'en commandai un noir, serré, Gisèle demanda un thé citron.

– Vous êtes en mission dans la région ?

– Non, je viens d'être nommée directrice de l'agence immobilière du centre-ville, alors, je suis en train de m'installer.

– Ah ! Alors, vous cherchez un appartement ?

– Oui, et en fait, je l'ai déjà trouvé, c'est un peu mon métier, alors…

Gisèle répondit par un gracieux sourire puis se pencha vers moi en prenant un ton de confidence.

– Vous savez que mon beau-fils est reparti en mission.

– Oui, nous sommes convenus de nous revoir au début du mois de mars, il se prononcera sur la vente du domaine. Madame Maréchal, j'avoue que j'ai été très étonnée de sa réaction, mais plus encore du fait que le mandat qui portait sa signature soit un faux.

Son regard s'obscurcit, elle planta ses yeux dans les miens.

– Un faux, comme vous y allez, tout de suite les grands mots ! Non, je n'ai pas imaginé un seul instant que Nathan pouvait refuser de vendre. Vous savez, ce projet, était le rêve de Denis, son père. C'était même sa dernière volonté, il m'a fait promettre sur son lit de mort d'aller au bout de son idée. Nathan était à l'autre bout du monde, impossible de le joindre, alors j'ai signé pour lui. Il a peut-être été surpris, mais je n'ai aucun souci, il signera pour son père et pour lui aussi. D'ailleurs, que pourrait-il bien faire du domaine ? Il n'est jamais là, sa vie est loin d'ici, c'est une évidence, il vendra.

Elle paraissait si sûre d'elle, qu'elle finit presque par me convaincre.

– C'est un homme étonnant, continuai-je. Il m'a un peu parlé de lui, de sa vie. Quelle tristesse, perdre sa mère si jeune, vous l'avez connue ?

Lorsqu'elle répondit, sa voix se fit lointaine.

– Lucile ? Très peu. À cette époque, je suivais de près la campagne de Denis, à sa demande. J'ai eu l'occasion de la croiser, deux ou trois fois.

Une petite clochette tintinnabula à mes oreilles.

– Je pensais que vous étiez amies.

– Non, Lucile était une solitaire, enfin c'est comme ça que Denis la décrivait.

– Elle était malade, n'est-ce pas ?

Un soupçon d'irritation pointa dans sa voix.

– Je ne sais pas, comme je vous l'ai dit, je la côtoyais très peu.

« Pourquoi Gisèle mentait-elle ? »

Je fis rapidement le tour de mes souvenirs : à aucun moment, le nom de Gisèle n'apparaissait sur les analyses médicales, c'est seulement dans les feuillets que son prénom était mentionné, c'est là également qu'était décrit le rôle qu'elle avait pu jouer dans la vie de Lucile.

Gisèle se leva.

Quittant mes pensées, je revins à la réalité pour la saluer.

– Au revoir, Madame Maréchal.

– Bien, je suis heureuse de vous avoir revue et je vous souhaite une bonne installation. Il faudra venir dîner à la maison à l'occasion.

– Oui, oui, j'en serais ravie.

Je la quittai, incrédule. Et pourtant, pourquoi ne pas la croire ? C'était sa parole contre celle de Lucile, ou plutôt contre celle figurant dans les écrits de Lucile, et qui pouvait donc tout à fait relever d'un fantasme de la jeune femme… Ou bien encore, Lucile avait pu être sujette à des hallucinations, elle avait d'ailleurs évoqué cette éventualité dans ses écrits. Et, effectivement, il me semblait avoir lu quelque part que les hallucinations faisaient partie des symptômes de la maladie d'Alzheimer.

Je n'avais plus de temps à perdre, il me fallait aller au centre commercial et continuer mes achats. Mon téléphone vibrait dans ma poche. Numéro inconnu, je choisis de ne pas décrocher.

12

Expertises contre expertises

Il m'avait fallu quatre allers-retours pour remonter l'ensemble de mes emplettes. J'avais réussi à trouver tout ce dont j'avais besoin en un temps record. Quentin devait venir vers 15 heures pour m'aider à finaliser l'installation informatique et gérer tous les branchements, en particulier l'imprimante et le wifi. J'avais encore le temps d'appeler ma mère avant son arrivée, pour savoir quand le reste de mes affaires me serait livré.

Auparavant, je pris le temps d'écouter le message laissé sur mon téléphone.

– Bonjour, Mademoiselle Soulis, je me présente : Monsieur Corver. Je vous téléphone à la demande de Monsieur Nathan Maréchal. Je représente le cabinet d'expertise Aqua Time et je voulais échanger avec vous sur le contenu du dossier que vous lui avez remis. Je suis joignable sur mon portable toute la journée. C'est important, Mademoiselle Soulis, j'ai des éléments à vous communiquer de toute urgence.

Je décidai de le rappeler immédiatement.

– Allô, qui est à l'appareil ?

– Monsieur Corver ? Bonjour, je suis Marianne Soulis. Vous m'avez demandé de vous joindre rapidement.

– Ah ! Mademoiselle Soulis, oui, merci. Écoutez c'est un peu difficile de vous expliquer tout ça par téléphone. Comme je vous l'ai annoncé, je représente un cabinet d'expertise agréé par le service géologique régional de la région Rhône-Alpes. Nous intervenons pour assurer le contrôle de la qualité des eaux des stations thermales de la région. Il est important que je vous rencontre. Pourrions-nous convenir d'un rendez-vous ?

– Aujourd'hui ?

– Non, le cabinet est fermé le samedi après-midi et je suis à la campagne pour le week-end. Est-ce que lundi, 10 heures, vous conviendrait ?

Je réfléchis un instant.

– Oui, je devrais pouvoir m'arranger. Vous indiquiez que vous aviez des éléments importants à me communiquer, pouvez-vous m'en dire un peu plus ? De quoi s'agit-il exactement ? Quelle est votre mission dans ce dossier ?

– Monsieur Maréchal avait des doutes quant à la nature de l'eau de la source découverte à La Chapelle-Geneste.

– Et… ?

– Il a effectué des prélèvements, qu'il m'a demandé d'analyser en priorité absolue. Vous savez, il a le matériel adéquat et son échantillonnage est d'une très grande fiabilité. Vous n'ignorez pas que Monsieur Maréchal est habilité en tant qu'expert judiciaire auprès des tribunaux dans des conflits hydrologiques.

Je l'ignorais, c'était une facette de sa personnalité qu'il avait omis de me dévoiler.

– Continuez, Monsieur Corver, je vous en prie.

– Mademoiselle Soulis, vos clients vont être terriblement déçus, mais manifestement cette eau n'a pas les qualités nécessaires pour permettre l'installation d'une station thermale. C'est pour cette raison que je tiens à vous voir, je voudrais savoir si je dois continuer mes investigations.

Le ciel me tombait sur la tête !

– Vous êtes toujours là ? Mademoiselle Soulis, vous m'entendez ?

Je pris sur moi pour recouvrer ma voix.

– Oui, Monsieur Corver, vous dites que c'est Monsieur Maréchal qui vous a demandé de me communiquer les résultats ?

– Oui, quels qu'ils soient, c'est ce qu'il a dit. Il souhaitait que je vous donne mon rapport avant son retour.

– Pouvez-vous me transmettre votre rapport par mail ?

– Oui, c'est possible, je vous l'envoie dès que j'arrive chez moi.

Je lui communiquai mes coordonnées et nous convînmes de nous retrouver dans ses locaux le mardi matin.

La surprise était de taille et de nature à remettre en cause la transaction de 5 millions d'euros. « Une affaire qui roule », m'avait dit Yann, je devais l'informer au plus tôt des derniers rebondissements.

Peu après, on sonna à la porte, c'était Quentin. Je l'accueillis comme le Messie. J'avais absolument besoin de lui pour accéder aux documents que devait me transmettre le bureau d'expertise. Nathan avait été bien inspiré de demander ces analyses. Il fallut moins d'une heure à Quentin pour que tous mes appareils fonctionnent correctement. Je le remerciai chaleureusement.

À peine avais-je refermé la porte derrière lui que je filai vers l'ordinateur pour ouvrir ma boîte mail. Monsieur Corver avait tenu sa promesse : j'avais sous les yeux un rapport de dix pages qui contestait les premières analyses transmises à mes clients.

C'était assez difficile à lire, mais il en ressortait avec évidence que si la détection de la source du domaine n'était pas contestée, sa teneur en minéraux n'en permettait pas une exploitation thermale. L'eau provenait bien des profondeurs de la terre, ce qui expliquait à la fois sa thermalité naturelle et sa composition chimique particulière. Comme il le fallait, la nature des roches traversées au cours du parcours souterrain et la chaleur avec laquelle s'opéraient les échanges eau/roche augmentaient la minéralisation de l'eau thermale. Pourtant cette eau chlorobicarbonatée sodique ne détenait qu'une faible teneur en calcium et en magnésium. C'est clairement ce que l'on pouvait retenir de toutes ces données.

Adieu, veaux, vaches, cochons, l'exploitation d'une station thermale semblait bien compromise... !

J'appelai immédiatement mon directeur. Comme toujours, Yann, sagace, évita de paniquer. C'est ce que j'aimais en lui : une qualité qui me manquait encore.

– Écoutez, cette expertise contredit une autre expertise, ces nouveaux experts prétendent détenir l'entière et la seule vérité. Ce qui est certain c'est qu'il va falloir prévenir nos clients. Je m'en occupe, envoyez-moi le rapport, mais j'ai besoin d'en savoir plus. Rappelez-moi après votre entrevue. Quand aura lieu le rendez-vous ?

– lundi, à 10 heures.

– Bien, essayez de savoir si on ne se trouve pas simplement au milieu d'une bataille d'experts.

– De quoi d'autre pourrait-il s'agir ?

– Je ne sais pas... Les enjeux financiers sont considérables dans cette affaire.

– Je vous en prie, donnez-moi le fond de votre pensée.

Il se racla la gorge.

– Essayez juste de savoir de quelles natures sont les divergences.

– Heu…, mais comment va Gilles Frémont ? Est-il sorti de l'hôpital ? N'est-ce pas à lui de reprendre l'affaire ?

– Il va mieux, mais il est toujours en arrêt et je préfère que vous continuiez. Vous êtes maintenant au cœur du dossier et vous avez rencontré tous les protagonistes. Vous êtes d'accord, n'est-ce pas ?

Que répondre ! Je me hâtai cependant de lui envoyer les éléments en ma possession.

Décidément, cette affaire était bien plus compliquée que prévu.

***

Je passai le reste de la journée à attribuer un peu d'âme à mon antre. Ma mère avait tout arrangé, l'ensemble de mes affaires me serait livré en fin de semaine prochaine. Mes parents avaient prévu de venir m'aider. Un grand moment en perspective.

Mon dimanche fut consacré à la préparation de ma première réunion avec l'équipe prévue le lundi matin. J'avais reçu du siège le bilan comptable intermédiaire que j'avais soigneusement étudié et le bilan commercial que m'avait transmis Yann. Les comptes des trois secteurs, la vente, le locatif et la gestion des copropriétés étaient bénéficiaires, même si on sentait une légère baisse récente sur l'activité des ventes.

La conjoncture n'était pas très bonne, mais j'avais déjà remarqué que le support des annonces épinglées en vitrine n'était pas conforme au modèle de la société et surtout que le choix des annonces elles-mêmes était à revoir. Je comptais aborder le sujet.

Ma formation initiale, puis le parcours suivi à l'intérieur des agences du groupe, en particulier mon dernier poste à Aix-en-Provence, m'avaient totalement préparée à ce que je devrais affronter. J'avais acquis, grâce à Geneviève Clary la directrice, une solide expérience en termes de management et, pour suivre son conseil, je m'accordais une petite période d'observation, afin de bien comprendre le fonctionnement local. Je me réservais la fin de la journée pour établir un plan d'action que je souhaitais présenter à Yann. Je terminais la soirée devant un plateau télé que je dégustais avec appétit.

***

À 10 heures le lendemain, je retrouvais Monsieur Corver au cabinet d'expertise Aqua Time.

– Monsieur Corver, j'aimerais comprendre ce que cherchait Monsieur Maréchal en vous confiant cette mission.

Il hocha la tête et reprit ses explications.

— Il venait d'apprendre qu'il y avait un projet de station thermale et il désirait s'assurer que la qualité de l'eau était compatible avec une activité de thermalisme.

— Il savait que la source avait été découverte sur son terrain ?

— Oui, il m'a expliqué que lui-même avait été à l'origine de forages sur la propriété, il connaissait donc parfaitement la nature exacte de la source, son étendue, son débit…

— Monsieur Corver, j'ai besoin de comprendre où se situent les divergences entre les deux rapports.

Il s'approcha d'un tableau blanc fixé au mur et prit un feutre bleu.

— On utilise des méthodes pour doser dans les eaux des isotopes de plusieurs éléments comme l'O18, le deutérium, le carbone et le tritium. On constate ainsi que la teneur O18 des eaux minérales est comparable à celle des eaux de pluie. La datation des eaux est basée sur le dosage en tritium. Depuis 1952, la teneur en tritium des eaux thermales est passée d'un atome par tritium pour 108 atomes d'hydrogène, à 2 500 atomes par tritium pour 108 atomes d'hydrogène.

– Monsieur Corver, s'il vous plaît, je ne comprends rien.

Il se gratta les cheveux avant de continuer sur un ton grave.

– Ce qu'il faut savoir, c'est qu'initialement les eaux thermales sont des eaux chaudes utilisées à des fins thérapeutiques, d'où le nom de thermalisme donné à cette pratique. C'est aussi la raison pour laquelle les établissements où sont dispensés les soins sont appelés thermes.

Je le gratifiai d'un sourire pour lui faire comprendre que je suivais.

– Les eaux utilisées sont couramment nommées « minérales » ou « thermominérales ». Ces deux termes regroupent cependant des eaux très différentes : certaines sont riches en sels minéraux, et d'autres en sont presque dépourvues. Certaines sont chaudes, alors que d'autres sont à la température de la nappe phréatique, pas plus de 11 degrés. Pour l'Académie Nationale de Médecine, une eau thermale doit se différencier des autres par des propriétés favorables à la santé, dûment constatées. Dans cette définition essentiellement qualitative, la température de l'eau et la nature des sels dissous n'entrent pas en ligne de compte.

– Qu'en est-il des eaux de la source de La Chapelle-Geneste ?

– La température est comprise entre 45 et 55 degrés et le débit total avoisine les 8 000 hectolitres par jour. Regardez, le tableau du premier rapport indique une teneur de 110,06 milligrammes en potassium, de 1 017,60 mg en sodium, de 12,10 mg en lithium, de 111,70 mg en calcium, de 9,30 mg en magnésium…

Je commençais à réaliser où il voulait en venir.

– Oui, je vois…

— Avec ces données, le projet est viable. En revanche, dans le dernier rapport, les données sont tout autre. En effet, la teneur en potassium n'était que de 10,06 milligrammes, de 17,60 mg en sodium, de 2,10 mg en lithium, de 11,70 mg en calcium et de 9,30 mg en magnésium.

— Si je comprends bien la grande différence entre les deux rapports, c'est que dans un cas les propriétés de l'eau sont favorables à la santé et peuvent permettre l'exploitation d'une station thermale, dans l'autre non ?

Monsieur Corver soupira d'aise.

— Oui, c'est bien cela.

— Comment expliquez-vous cette différence entre les deux expertises ?

— Je ne l'explique pas. On a déjà vu une eau changer de propriétés, c'est la raison pour laquelle nous effectuons des contrôles réguliers, mais pas sur un temps si court.

— Monsieur Corver, connaissez-vous le cabinet qui a réalisé les premières analyses ?

– Non, c'est une société parisienne, mais rien ne permet de dire que les analyses n'ont pas été faites dans les règles de l'art.

– Qui a commandé cette série de prélèvements ?

Il chercha rapidement dans son document.

– Le rapport précise que le commanditaire est Monsieur Denis Maréchal.

– Encore une question, Monsieur Corver : se pourrait-il que le premier rapport ait été falsifié ?

– Holà ! Je suis un scientifique, ne me faites pas dire ce que je n'ai pas dit. Il faut des preuves pour tenir un tel discours.

Il paraissait choqué.

– À ce stade que me conseillez-vous ?

– De refaire des analyses. Compte tenu de ses compétences, je n'ai aucun doute quant aux prélèvements de Monsieur Maréchal, mais peut-être faut-il envoyer une de mes équipes pour une nouvelle série d'échantillons.

Je devais contacter Yann afin qu'il prenne l'attache de nos clients pour savoir si l'on devait mener d'autres investigations. Je devais également prévenir Madame Maréchal, car ce que je venais d'apprendre pouvait annuler la transaction prévue.

13

Denis Maréchal

Yann avait pris les choses en main. Lui, s'occuperait de prévenir le représentant de la société Aqua Viva Immo, un certain Daniel Casey. Moi, j'étais chargée de contacter Madame Maréchal. J'avais obtenu un rendez-vous auprès de son secrétaire, nous devions nous revoir officiellement chez son notaire, à la fin de la semaine suivante.

Ce fut donc une grande surprise pour moi lorsque Solène m'annonça sa visite, en fin de matinée. J'avais préparé un petit argumentaire, mais je me sentais assez mal à l'aise face à elle. Elle alla droit au but.

– Mademoiselle Soulis, mon secrétaire m'a fait part de votre appel. Je n'ai pas exactement compris la nature des difficultés que vous lui avez énoncées, j'ai donc préféré venir pour en avoir le cœur net. Que se passe-t-il ?

Je pris mon courage à deux mains pour lui expliquer la situation.

– Madame, votre beau-fils a demandé une nouvelle analyse des eaux de la source de la Chapelle.

– C'est son droit, et d'ailleurs, cela ne m'étonne pas de lui, c'est un scientifique.

– Oui. Heu… voici le nouveau rapport que j'ai pu consulter. Il ne donne pas les mêmes résultats.

– Expliquez-vous, que voulez-vous dire ? En quoi est-il différent ?

– Eh bien ! Les différences sont notables, regardez.

J'entrepris de lui restituer le plus fidèlement possible les explications données la veille par Monsieur Corver.

– Madame Maréchal, selon ce nouveau rapport, cette eau n'a pas les qualités nécessaires pour permettre l'installation d'une station thermale. C'est pour cette raison que je voulais vous voir.

Manifestement, Gisèle accusait le coup.

– Mademoiselle Soulis, ce ne serait pas la première fois que des experts se contredisent.

– En effet, mais je suis dans l'obligation de prévenir mes clients, vous comprenez ?

– Que proposez-vous ?

– Nous allons soumettre aux acquéreurs actuels une liste d'experts et reprendre les investigations.

Madame Maréchal se leva. J'étais impressionnée par son calme apparent alors qu'une véritable tempête devait souffler sous son crâne. Arrivée à la porte de mon bureau, elle fit volte-face :

– Que diriez-vous de venir dîner ce soir en compagnie de Raphaël et de Clélia, ils vous ont beaucoup appréciée lors de la visite de la scierie. Nous pourrions apprendre à mieux nous connaître.

Devant mon hésitation, elle insista.

– Je vous propose un dîner amical, pas question de parler de nos affaires.

– Pourquoi pas ! Oui, avec plaisir, je serai ravie de les revoir.

– C'est dit, vous avez mon adresse ?

– Oui, elle est dans le dossier.

– Une grande maison aux volets bleus à la sortie du village, disons vers 19 heures 30.

J'aurais dû refuser l'invitation, mais en même temps, j'étais curieuse de voir comment se déroulerait cette soirée.

Je convoquai Chloé pour lui expliquer toute la complexité du dossier. Yann l'avait dit, c'était dorénavant le nôtre. Il fut convenu qu'elle constituerait une liste de cabinets notoirement connus dans l'expertise des eaux thermales. J'irais avec Yann exposer notre plan d'action à nos clients : faire effectuer une nouvelle série d'analyses sous le contrôle d'un huissier. Une fois ces données en main, nos mandataires seraient en capacité de décider soit de poursuivre, soit de stopper la transaction.

J'étais rassurée, cette stratégie me semblait la meilleure et nous laissait un peu de temps, jusqu'au retour de Nathan.

Il était déjà 18 heures, le contrôle comptable que j'avais entrepris avait duré plus de temps que prévu. De toute évidence, je n'avais plus le temps de rentrer pour déposer ma sacoche et prendre une douche, comme je l'avais escompté.

En fondant, la neige se transformait en une espèce de gadoue grisâtre mêlée de sel qui collait aux chaussures et ralentissait mon allure. J'avais rendez-vous pour dîner chez Madame Maréchal, mais il me fallait auparavant acheter un bouquet de fleurs.

***

C'est Clélia qui m'ouvrit la porte et m'invita à pénétrer dans la grande maison aux volets bleus. Dès l'entrée, le décor était posé, le parquet en teck tranchait avec les murs blancs sur lesquels étaient accrochées des pièces de batik colorées représentant des scènes de la vie quotidienne en Asie. Raphaël prit mon manteau et me guida vers le salon. Trois grosses bûches se consumaient dans l'âtre de la cheminée.

Un grand canapé et quatre fauteuils en tissu beige entouraient une immense table rectangulaire en teck. Çà et là, de grosses lampes posées sur des guéridons de bois représentant des têtes d'éléphant éclairaient en douceur, donnant à la pièce une ambiance feutrée.

Gisèle apparut dans une robe d'intérieur verte qui mettait en valeur sa silhouette et le roux de ses cheveux.

– Bonjour, Marianne, vous permettez que je vous appelle par votre prénom ?

– Je vous en prie, comment allez-vous ?

– Très bien, installons-nous.

Clélia apporta des amuse-bouche pour l'apéritif.

– Champagne ? me proposa Raphaël.

– Si vous me prenez par les sentiments…

J'adorais le champagne, c'est mon père qui m'avait éduqué le palais en me faisant apprécier les meilleurs crus de vin et de champagne. Celui-ci valait le déplacement.

– Votre maison est magnifique, elle inspire la douceur et le voyage.

– Oui, nous avons choisi chaque objet, Denis et moi, la majeure partie provient de Kuala Lumpur en Malaisie. Mon mari est tombé amoureux de ce pays lors d'une rencontre protocolaire avec les dirigeants du pays. Vous savez, Denis a été maire et député pendant trente ans, dit-elle avec assurance. Il était président de groupe à l'Assemblée nationale et membre du Conseil Économique et Social, ce qui l'a conduit à mener plusieurs missions parlementaires.

Nous passâmes à table. On nous servit une délicieuse râpée de pommes de terre, accompagnée d'une assiette de jambon cru et d'une salade verte. La conversation, d'abord tournée sur des sujets banals, se dirigea rapidement et uniquement sur Denis Maréchal.

– Il était très jeune lorsqu'il a été élu la première fois ?

– Oui, il avait trente-quatre ans, je me souviens encore de sa joie lors de la publication des résultats. J'étais tellement fière de lui.

– Il était marié avec la mère de Nathan, à cette époque-là, n'est-ce pas ?

– Oui, leur union n'a pas duré longtemps.

Je sentis qu'il me fallait éviter d'aborder ce sujet.

– Il était très apprécié dans la région, j'ai lu beaucoup d'articles qui vantaient ses mérites.

– Mon père était un homme généreux qui s'occupait des autres, confirma Raphaël. Il avait un sens aigu de l'intérêt général et trouvait toujours des solutions pour le bien public.

– Denis était un homme d'une profondeur bien trop rare dans la vie politique actuelle, continua Gisèle, c'était un passionné, en même temps capable d'une grande tolérance.

– Il était très attaché à sa terre de Haute-Loire, je crois, issu d'une famille profondément auvergnate…

Ce disant, je me tournai vers Clélia qui restait silencieuse.

– Oui, ses racines étaient au cœur de son engagement politique, il a largement contribué au rayonnement national et international de notre terre, me répondit-elle.

– Quel a été son plus grand combat ?

– Il a mené de nombreuses batailles, c'était quelqu'un d'infatigable, reprit Gisèle, les joues rouges d'excitation. Il était très fier de son implication dans le Plan Massif Central aux côtés de Valéry Giscard d'Estaing. Un grand projet pour désenclaver la région par la route et par le train. Mais je crois que la bataille qui lui tenait le plus à cœur, c'était de relier le social et l'emploi. Il s'est battu bec et ongles au Parlement pour le développement du thermalisme. Son rapport a permis de faire évoluer la législation sur l'exploitation des eaux thermales. Sans relâche, il a cherché à convaincre le gouvernement jusqu'à ce qu'on lui confie pour mission d'apporter des réponses pour moderniser l'activité thermale.

Elle expliqua que pendant plusieurs mois, en concertation avec les professionnels et les élus, il avait étudié la meilleure façon d'actualiser la formation, de rendre plus efficaces les conditions d'intervention des professionnels, d'adapter les exigences d'autorisation et de fonctionnement des établissements. Il avait surtout favorisé le développement d'études permettant d'apprécier le service médical rendu et les conditions de prise en charge par la sécurité sociale.

– Vous avez travaillé à ses côtés ?

– J'étais son assistante parlementaire.

– Vraiment ? Quel était votre rôle ?

– Je veillais au confort de Denis. Je supervisais son agenda avec son secrétaire, j'étais particulièrement vigilante pour limiter sa fatigue au maximum. Je l'accompagnais fréquemment dans ses déplacements, j'écoutais ses discours en avant-première, je prenais des notes sur ses hôtes, enfin bref, je restais près de lui afin qu'il demeure le meilleur.

– Et localement, qui l'assistait ?

– Souvent des membres de son parti, mais il m'arrivait aussi d'assurer la permanence à sa place, lorsqu'il était retenu à l'Assemblée.

– Dans la bastide familiale ?

– Oui, comment savez-vous cela ?

Pour ne pas répondre, j'enchaînai en me tournant vers Raphaël et Clélia :

– Et vous, quelle a été votre implication dans la carrière politique de votre père ?

– J'ai un peu accompagné mon père dans l'élaboration du Plan Massif Central, répondit Raphaël. Notre ambition était de rendre à la région la place qu'elle occupait au Haut Moyen Âge, lorsque des villes comme Clermont ou Limoges rivalisaient avec Paris et Lyon. Il faut savoir qu'au XIe siècle, le concile se réunissait à Clermont en présence du pape Urbain II. Papa rappelait sans cesse que les périodes de rayonnement de la France et de la civilisation française étaient celles où chaque région était en mesure d'apporter à la nation sa personnalité propre, sans compromettre l'unité nationale. Cette possibilité avait été refusée au Massif Central depuis la révolution industrielle. Mon père voulait offrir une nouvelle chance à ses compatriotes.

– Tu t'exprimes avec la même verve, le taquina Clélia.

– Denis aimait s'entourer de ses proches et surtout de sa famille, Clélia a tenu une place très importante dans la dernière partie de sa carrière, dit Gisèle en s'approchant de sa fille. Elle était très jeune, mais a largement contribué à sa dernière élection en 1997. Clélia a travaillé avec lui pour édifier le rapport sur le thermalisme, et en même temps, elle l'assistait à la mairie, où en tant que membre du conseil municipal, elle était devenue son bras droit.

– Il me semble avoir lu quelque part qu'il y avait eu beaucoup de projets immobiliers à cette période. On vous les doit ?

Gisèle réagit avant que sa fille ne puisse répondre.

– Oui, c'est grâce à elle que le village n'est pas moribond, mais ça n'a pas toujours été facile, il y avait beaucoup de résistance en face. Clélia a tenu tête pour le bien de tous.

– J'ai seulement agi selon les convictions de mon père, il m'a appris à me battre quand l'essentiel est en cause.

– Je crois savoir que ce sont les accusations portées contre lui qui ont provoqué son premier infarctus.

– Papa détestait les hommes politiques hors-sol, précisa Raphaël, c'était un fin négociateur qui savait prendre les gens dans le sens du poil ou piquer des colères pour faire passer des messages. Il s'est fait un grand nombre d'ennemis. Bien que les accusations de corruption dont il a fait l'objet aient été jugées diffamatoires, il a reçu un très grand choc.

– Rien n'a plus jamais été pareil après cela, Denis était un homme droit et honnête, il n'a pas supporté et ne s'en est jamais remis.

Gisèle s'était levée, signalant ainsi la fin de la soirée. Il était tard et j'avais une heure de route. Je pris congé.

Je me dirigeais vers la porte d'entrée lorsque je remarquai plusieurs cadres posés sur une console. L'un d'eux attira mon attention : Denis, souriant, sanglé de son écharpe tricolore, posait devant la maison familiale. J'étais troublé par le regard de cet homme sur la photo qui semblait vouloir me dire quelque chose.

Décidément, cette soirée avait été très instructive : tout ce que je venais d'apprendre sur Denis complétait le tableau que j'avais imaginé. Cet homme charismatique, adulé ou haï devait être un sacré personnage. Je regrettai de ne pas avoir pu évoquer le souvenir de Lucile.

Il me restait peut-être une piste : sa cousine Perrine, citée dans ses feuillets, était peut-être toujours vivante, je devais essayer de la contacter. Mais ce qui me gênait le plus, c'était de constater qu'il n'avait jamais été question de Nathan, à aucun moment de la soirée.

14

Voluptés

Avec mon accord, Florence et Solène avaient programmé « l'événement » destiné à me présenter aux notables, ce vendredi. Une trentaine d'invités seraient présents. Nous avions décidé, tous ensemble, de consacrer cet après-midi du mercredi et la journée du jeudi à faire quelques modifications mineures dans l'agence. Le mobilier commandé venait d'être livré.

C'est avec beaucoup d'entrain que nous nous mîmes au travail. Chloé, un pinceau à la main, sifflait joyeusement. Robin, lui, avait entrepris de monter les deux nouveaux bureaux plus actuels, pour l'accueil. Face à quatre petits fauteuils en cuir blanc, Quentin disposa un écran plat et un poste informatique en libre-service. Aucun de nous ne ménageait sa peine, qui en archivant, qui en lessivant, qui en remettant de l'ordre...

Tout était prêt, rutilant de propreté. J'avais souhaité donner une note de modernité à l'accueil, le résultat était du meilleur effet. Au mur, un écran laissait défiler toutes les annonces de l'agence, et installé en dessous, un poste informatique permettait de visualiser tous les documents d'urbanisme en vigueur sur notre territoire d'action. Déjà, dans la rue, les passants s'arrêtaient pour regarder la nouvelle vitrine.

Mon téléphone vibra, c'était un SMS : « Alors, heureuse ? »

J'éclatai de rire. C'était un code entre moi et Claire. Je composai immédiatement son numéro.

– Coucou ma copine !

– Coucou, comment vas-tu ? Tu me manques, tu sais.

– Toi aussi, tu me manques, je n'aurai jamais une autre meilleure amie que toi.

Ce disant, Claire me raconta sa nouvelle vie. Elle avait été recrutée en tant que pigiste au journal *Le Cézanne*. Ce n'était pas très bien payé, mais cela lui permettait d'avoir un pied dans le métier. Elle était chargée d'enquêter sur les faits divers, uniquement de la petite délinquance, mais à Marseille il y avait largement de quoi faire.

– Il se peut que tu puisses m'aider.

– T'aider, toi ? Quel rapport pourrais-tu avoir avec la petite délinquance ?

– Aucun, mais j'aimerais en savoir plus sur une affaire de corruption qui s'est déroulée dans la région, et je ne sais pas par quel bout commencer…

– Dis-moi tout.

– Je cherche des renseignements sur un homme politique mis en cause dans une affaire de corruption, dans les années 1997 et 1998.

– Qui ?

– Il s'appelait Denis Maréchal, il était maire de la commune de La Chapelle-Geneste et député de la première circonscription du Puy-en-Velay en Haute-Loire. Je ne cherche pas uniquement les articles de l'époque, j'aimerais que tu me déniches les coulisses des affaires, tu vois ce que je veux dire ?

– Fastoche ! Je devrais trouver ça dans les archives.

– Merci, Claire. Je cherche une date pour ma pendaison de crémaillère. Je te fais signe.

– Bisous, ma copine.

Le traiteur choisi par Solène avait fait des miracles : petits fours salés, verrines, légumes frais coupés avec différentes sauces, toasts… Florence s'était occupée des boissons, offrant un choix composé de boissons locales : Suze, Avèze, jus de fruit ou kir. Il était prévu qu'elle reste près de moi pour me communiquer le nom de nos invités dès leur entrée.

Coiffée d'une queue de cheval haute, vêtue d'un tailleur-pantalon taupe et d'un chemisier blanc, j'étais très fière d'accueillir nos visiteurs. Je me présentai à tous les arrivants avec mon plus beau sourire.

J'avais étudié le patrimoine de chacun des invités et j'avais préparé un message personnalisé pour tous afin de bien leur faire comprendre qu'ils pourraient compter sur moi. Je me faufilai vers Monsieur Vignal, un grand propriétaire terrien et Monsieur Pelouze, promoteur immobilier, tous deux en pleine discussion.

– *Adieu Pelouze,* lança monsieur Vignal en patois auvergnat

– *Bonjorn,* répondit son ami Pelouze

– *Coma va ? Qué de nòu ?*

– *Merces, va plan.*

Lorsque j'arrivai près d'eux, ils reprirent le français, me félicitant chaleureusement pour les nouveaux aménagements.

– Il faut que je vienne vous voir pour un de mes biens à Aiguilhe, m'annonça le propriétaire terrien. J'ai un terrain de deux hectares dont je ne sais pas encore quoi faire.

– Quand vous voulez, je suis à votre disposition. Vous avez vu notre installation ? dis-je en m'approchant de l'ordinateur.

En quelques clics, j'ouvris le Plan Local d'Urbanisme de la commune d'Aiguilhe.

– Vous connaissez les références cadastrales de votre terrain ?

– Je ne les ai pas sur moi, me répondit l'homme, curieux. Pourquoi ?

– Vous avez l'adresse ?

– C'est au lieu-dit « Monchard »

– Très bien. Regardez, je suis en mesure de vous donner immédiatement le zonage de vos propriétés, et du coup, le règlement d'urbanisme qui s'applique. On devrait gagner beaucoup de temps.

– Je vois. Je reviens vous voir très vite avec tout mon dossier.

Je sentis que j'avais attiré son attention.

J'avais à peine terminé que Chloé me prit par le coude pour me conduire vers un nouvel arrivant.

– Excusez mon retard, me dit le bel inconnu.

Grand, brun, les yeux verts pétillants de malice, il retira sa veste polaire, laissant apparaître un corps musclé à souhait.

– Olivier Lemaître, précisa Chloé en me le présentant.

J'avais beau chercher dans ma mémoire, je n'avais pas retenu ce nom dans la liste fournie par Solène.

– Monsieur Lemaître est le directeur du golf du Puy-en-Velay.

– Bien sûr. Enchantée…

– Moi de même, répondit le jeune homme, qui s'inclinant profondément, saisit délicatement la main que je lui tendais afin de la porter respectueusement à ses lèvres.

Chloé s'éclipsa. Olivier Lemaître, détendu et souriant, m'expliqua qu'il souhaitait promouvoir le golf du Puy et que, pour ce faire, il fallait trouver des offres immobilières pour offrir des packages « stage et hébergement ». Il travaillait en étroite collaboration avec les agences immobilières locales pour évaluer les offres potentielles. Une première rencontre prometteuse avec mon prédécesseur lui laissait penser qu'une association pourrait être fructueuse.

J'espérais bien que ce soit possible, tant pour les affaires de l'agence… que pour le plaisir de le revoir.

La soirée se terminait, le traiteur finissait de débarrasser le buffet et de remettre de l'ordre. Plus de la moitié des invités avaient quitté les lieux, les autres s'apprêtaient à partir. Je sentis une présence derrière moi.

– Vous n'avez pas dîné ? me demanda Olivier en m'aidant à mettre mon manteau avant d'enfiler le sien.

– Non, pas encore…

Je n'avais pas réellement faim, pourtant je ne me fis pas prier pour l'accompagner. Nous passâmes la fin de la soirée dans un restaurant japonais situé à côté de l'agence. Des Tatakis pour moi, des Makis et des Sushis pour lui. La tenue des baguettes n'avait aucun secret pour Olivier. Il avait refusé les fourchettes qui nous étaient proposées. L'exercice était périlleux, mais au bout de quelques conseils et de grands éclats de rire, je réussis enfin à porter à ma bouche un morceau de thon.

L'homme était drôle, charmant, attentionné. Nous avions droit à une question chacun. J'appris qu'il était le troisième d'une grande famille de cinq enfants. Il avait quitté la maison très tôt pour intégrer un sport-étude. Dès l'âge de 17 ans, il avait arpenté tous les tournois de golf du monde en tant que professionnel. Et dix ans plus tard, il avait tout abandonné pour des petits boulots, jusqu'à ce qu'il décide de renouer avec son sport, non plus en tant que professionnel - il n'avait plus le niveau, hélas -, mais en donnant des cours.

Récemment, il avait été présenté par un de ses élèves au consortium actuellement propriétaire du golf. Tout était allé très vite, il lui avait été demandé de réfléchir à la meilleure façon de promouvoir et de développer le golf, et comme son projet faisait sens, on lui avait proposé de le mettre en œuvre.

Il était plus d'une heure du matin lorsque le serveur nous fit remarquer que nous étions les derniers clients. Bras dessus, bras dessous, nous sommes sortis, euphoriques, heureux d'être ensemble. Les gros flocons qui tombaient depuis la fin de la soirée avaient recouvert les rues, au point que l'on ne distinguait plus les trottoirs.

– Ce serait dangereux de conduire, me murmura Olivier, je ne vais pas pouvoir rentrer chez moi.

– Surtout pas, c'est beaucoup trop risqué, c'est même tout à fait imprudent, répondis-je consciente d'entrer dans son jeu de séduction. J'habite à deux minutes, je crois que nous n'avons pas le choix.

Le regard d'Olivier devint plus intense, plus profond, plus suggestif. Frissonnants de désir, nous fîmes le trajet en nous dévorant de baisers.

Je n'avais pas ressenti un pareil émoi depuis Ronan. Mon cœur battait la chamade pendant que frénétiquement, nous nous arrachions nos vêtements. Alors que du bout des doigts il me caressait les commissures des lèvres, son parfum m'enivra, éveillant tous mes sens. Il effleura ma peau par petites touches voluptueuses. Frémissante de désir, je me cambrai, le souffle court, attendant plus encore… Il resserra son étreinte puis glissa en moi, centimètre par centimètre. Divine sensation. Plaisir suprême. C'était un parfait amant, je me dévoilais à moi-même une sexualité débridée en répondant à ses caresses. Au rythme de mes hanches, sa peau contre ma peau, nos corps fiévreux se complétaient, se mélangeaient pour ne former plus qu'un.

Le petit matin nous trouva épuisés, endormis dans les bras l'un de l'autre. Les draps froissés se répandaient sur le sol.

Le bruit de l'interphone me réveilla en sursaut.

– Ma chérie, c'est nous, Papa et moi.

La voix de ma mère me fit l'effet d'une douche froide. J'avais totalement oublié qu'ils venaient pour le week-end. Je sautai du lit pour passer un peignoir. Sur l'oreiller, Olivier m'avait laissé un court message : « Tu me manques déjà ».

Émue, je ramassai rapidement mes sous-vêtements et remis de l'ordre dans ma chambre. Déjà, ma mère frappait à la porte.

– Ma chérie, nous sommes venus plus tôt que prévu, à cause du mauvais temps. Tu viens juste de te réveiller ? me demanda-t-elle en me tendant des croissants encore chauds.

– Oui, Maman, désolée, ma soirée a fini plus tard que prévu. Veux-tu faire du café, je vais prendre une douche.

Un quart d'heure plus tard, nous dégustions nos croissants attablés devant un café bien chaud. Mes parents approuvèrent tout à fait mon choix pour l'appartement.

Malgré le mauvais temps, les déménageurs arrivèrent sans encombre. Ma mère, comme à son habitude, avait pris les choses en main. Je lui avais fourni quelques points clés sur lesquels je n'étais pas prête à transiger : la position de mon bureau, l'emplacement de la commode dans ma chambre. Pour le reste, elle avait carte blanche.

Elle mena l'équipe, de main de maître. Lorsque nous revînmes du centre commercial, mon père et moi, les meubles étaient placés, les tringles et les rideaux installés.

Bien couverts, nous sortîmes faire une petite balade, je tenais absolument à leur faire visiter l'agence et mon environnement proche. À peine rentrée, ma mère se mit en tête de préparer une quiche pour le dîner et un bœuf bourguignon pour le lendemain. Elle avait apporté tous les ingrédients nécessaires.

Après lui avoir montré où étaient les casseroles, les ustensiles, les aromates, je retrouvai mon père dans mon bureau.

15

Clair-obscur

Mon père m'attendait en consultant ses notes.

L'aménagement de mon bureau me semblait parfaitement réussi, j'aimais l'ambiance qui s'en dégageait. Un triptyque de tableaux modernes aux tons rouges, noirs et dorés que nous avions rapporté de la République Dominicaine décorait le mur du fond. Sur le côté, un petit canapé taupe recouvert d'un voile rouge orné d'éléphants, souvenir de Thaïlande. Mon bureau d'étudiante en bois, hérité de mes grands-parents, trônait au milieu de la pièce, face à la fenêtre. La vue sur la vierge noire surplombant les hauteurs de la ville était époustouflante.

Il était assis devant un épais dossier. Mon téléphone émit un bip annonçant un message. C'était le cinquième message d'Olivier depuis le début de la matinée. Je lui répondis rapidement que je l'embrassais.

– Bon ! Quand tu auras fini avec Monsieur SMS, on pourra commencer, me dit mon père, en plaisantant. J'ai les réponses que tu attendais. Philippe a tout classé dans des chemises de couleur. À chaque question, la réponse attendue. Attention, il n'a pas eu le temps de faire toutes les photocopies, une bonne partie des documents sont des originaux.

Le plus gros dossier portait sur le régime matrimonial des deux mariages de Denis Maréchal. Le premier, avec Lucile Chevalier, était un mariage sous communauté de biens. À la mort de Lucile Chevalier Maréchal, la succession avait été partagée à 50 % entre Denis et Nathan. Son deuxième mariage, avec Gisèle Philippon, relevait du régime de la séparation de biens, ce qui garantissait à chacun de garder la propriété des biens acquis avant le mariage.

Donc, seuls Denis et Nathan étaient propriétaires en propre de la scierie, des terres et forêts aux alentours et du domaine. Sur ce patrimoine, Gisèle Philippon Maréchal, ainsi que ses enfants Raphaël et Clélia Maréchal, n'avaient aucun droit.

En 1990, Denis Maréchal avait fait valoir, avec l'accord de Nathan, une clause de mise en communauté de la scierie et d'une partie des forêts, ce qui eut pour effet de rendre héritiers Gisèle Philippon Maréchal et ses enfants, Raphaël et Clélia Maréchal.

Ce n'était pas tout : juste avant sa mort, Denis Maréchal avait introduit une clause de préciput sur ces mêmes biens qui attribuait à Madame Gisèle Philippon Maréchal, et à elle seule, l'intégralité de ce patrimoine.

Je cherchai fébrilement dans la dernière chemise.

Le domaine, composé de la bastide, de 25 hectares de terrain et d'une source d'eau chaude découverte en 1988, était resté la propriété en propre de Denis et de Nathan. À la mort de Denis Maréchal, Nathan Maréchal avait hérité seul de ce domaine.

– Voilà qui me paraît très clair, tu remercieras Philippe pour moi. Je me demande bien pourquoi le notaire, Maître Rousselet, m'a présenté Madame Maréchal, son fils Raphaël et sa fille Clélia comme les propriétaires ?

Mon père leva les yeux au ciel en signe d'incompréhension.

– Il y a autre chose, reprit-il. Récemment, Madame Gisèle Philippon Maréchal a cherché à savoir qu'elle était la procédure à suivre pour une levée de la réserve héréditaire sur les biens propres de Nathan Maréchal. La finalité de cette pratique est de pouvoir avantager un enfant par rapport à un autre. Elle confère aux bénéficiaires un surplus de droits par rapport à ses cohéritiers, qui ne peuvent plus prétendre à aucun droit sur le patrimoine concerné.

– Tu veux dire que Madame Gisèle Philippon Maréchal a tenté de déposséder Nathan Maréchal des biens de sa mère ?

– En quelque sorte, oui.

– Papa, je dois te parler de la transaction que je devais mener avec la famille Maréchal.

Je lui racontai dans le détail tout ce que je savais, et là, où l'on en était.

– Tu as pu joindre ce garçon, ce Nathan ?

– Non, il est en mission dans l'Antarctique. Il ne reviendra qu'au début du mois de mars. Mais cela nous laisse le temps de procéder à d'autres analyses. Par contre, j'ai besoin d'en savoir plus sur l'origine de ce dossier. La seule solution, c'est de contacter Gilles Frémont, mon collègue qui s'est occupé de la transaction au début de l'affaire.

***

Quelle ne fut pas ma surprise lorsqu'en sortant de mon bureau, je retrouvai ma mère, dans la cuisine, un verre de vin blanc à la main, en compagnie d'Olivier, qui coupait des morceaux de gruyère.

– Ah ! Vous avez terminé, on vous attendait pour l'apéritif.

Mon père s'approcha de lui, la main tendue :

– Monsieur SMS, je présume ?

Je fis un sourire complice à Olivier qui m'embrassa tendrement devant mes parents. C'était assez étonnant : l'ancienne Marianne, si pudique, si prude aurait été gênée, voire furieuse de cette marque de tendresse en public. Manifestement, cette Marianne-là n'existait plus. Depuis la nuit dernière, rien n'était plus comme avant.

Cette soirée en famille fut très agréable : ma mère était sous le charme, et mon père, joueur invétéré, cherchait le moyen d'améliorer son swing, en récoltant le plus de conseils possibles de la part d'un ancien professionnel. Il nous avait initiées, ma mère et moi. Il fallut pousser les meubles pour assister en direct à une leçon familiale, mon balai étant devenu un fer 7, et le manche de mon aspirateur, un driver.

Mes parents étaient déjà couchés lorsque Olivier me quitta avec beaucoup de regrets. Le lendemain matin, Papa descendait ses bagages dans la voiture, lorsque le téléphone sonna. C'était Karen, mon amie biologiste.

– Je te dérange ?

– Pas du tout, mes parents se préparent à partir.

– J'ai étudié le dossier que tu m'as fait passer et je suis assez intriguée. Tu m'as donné tout ce que tu avais ?

– Oui, enfin presque, il y avait également des gélules.

– Quelles sortes de gélules ?

– Je ne sais pas, des blanches et des bicolores rouge et blanc, dans un pilulier en plastique.

– Écoute, j'ai très peu de temps, donne-les à tes parents, je les récupérerai chez eux. Je voudrais en avoir le cœur net.

– Tu ne peux pas m'en dire plus ?

– Non, j'ai besoin de vérifier des détails. Alors, où en es-tu ?

– Je cherche une date pour pendre la crémaillère. Tu es libre fin février ?

– Oui, compte sur moi, je ne raterais ça pour rien au monde !

– Tchao tchao !

J'hésitais à appeler mon collègue Gilles un dimanche, mais je devais absolument en savoir plus. Il décrocha à la troisième sonnerie. Lorsque je lui décrivis la situation, il m'affirma avec force qu'il n'était pas au courant. Il m'avoua avoir très peu travaillé le dossier, il avait rencontré Maître Rousselet une seule fois, et les projets de contrat avaient tous été validés rapidement par les avocats de la société Aqua Viva Immo.

– Qui menait les négociations pour la famille Maréchal ?

– Maître Corsulat. Je l'ai rencontré, lui aussi. Je vous assure que j'ai fait mon travail et je ne comprends pas ce que vous cherchez.

– Je cherche simplement à comprendre comment il est possible de conduire une transaction dans laquelle le véritable et l'unique propriétaire d'un bien n'est pas partie prenante, et je cherche aussi à saisir comment on a laissé croire à nos clients qu'il était possible d'exploiter une station thermale sur la base de fausses analyses.

Je raccrochai d'un coup sec. J'étais révoltée, exaspérée devant un tel amateurisme !

Olivier vint me rejoindre dans la soirée. Comme, malgré tous mes efforts, je n'étais pas parvenue à me calmer, il proposa de m'apporter son aide. Sans dévoiler l'identité de mes clients, je lui exposai les faits, rien que les faits, mais ne lui cachai aucun de mes doutes.

Le lundi matin, je me sentais plus apaisée : la nuit porte conseil et cette nuit-là avait été encore plus intense que notre première nuit. J'arrivai au bureau de bonne humeur. La gazette locale avait publié un article sur notre inauguration - une bonne publicité pour nous ! Chacun reprit son poste. Après notre réunion hebdomadaire, je passai le reste de la journée avec Chloé pour terminer la visite des biens en vente dans notre catalogue.

***

Il était presque 20 heures, la journée avait été harassante. J'avais hâte de retirer mes chaussures et de prendre un bon bain. Pensive, je cherchais mes clés dans mon sac à main, lorsque je découvris que ma porte d'entrée était légèrement entrouverte. J'étais persuadée de l'avoir fermée avant de partir…

À la vue de l'appartement dévasté, je poussai un grand cri. Affolé, mon voisin de palier vint me rejoindre, un gourdin à la main.

– Appelez-la police, s'il vous plaît, Monsieur, appelez la police !

Je parcourus lentement chacune des pièces. Tout avait été fouillé et retourné, le contenu des tiroirs de mon bureau était répandu sur le tapis. Des vandales ? Non. Sur le miroir de ma chambre, il était écrit : « Occupe-toi de tes affaires, sinon !!! »

Un document était collé au centre d'un des tableaux. J'approchai lentement. Lorsque je le pris en main, mon cœur faillit s'arrêter de battre. Il s'agissait d'un certificat pour l'adoption plénière de l'enfant de sexe féminin prénommée Marianne par monsieur et madame Soulis.

Sous le choc, je vacillai.

En un instant ma vie, mes certitudes… tout s'effondrait.

16

Révélations

Olivier, que j'avais joint sur son portable, arriva en même temps que la police.

J'étais tellement remuée, que je fus à peine surprise de voir entrer Ronan qui s'apprêtait à effectuer les constatations d'usage.

– Bonjour, Marianne, j'aurais préféré te revoir dans d'autres circonstances.

– Bonjour, Ronan, je te présente Olivier Lemaître.

Il était inutile de préciser ce qu'il était pour moi, c'était visible. Déjà, il accompagnait l'un des policiers dans chacune des pièces pour lui faire constater les dégâts. Nous les suivîmes jusqu'à mon bureau. Je ne pus m'empêcher d'éclater à nouveau en sanglots.

– Sais-tu si quelque chose t'a été dérobé ? me demanda Ronan.

– J'ai rapidement vérifié. On ne m'a volé aucun bijou, il me manque uniquement des dossiers sur lesquels je travaillais.

– Tu peux m'en dire plus ?

– Il n'y a pas grand-chose à dire, en vérité, il s'agit d'une transaction en cours.

– Vu l'état de l'appartement, je crains qu'il faille me donner davantage d'explications, reprit Ronan le plus délicatement possible.

– Mademoiselle Soulis est très fatiguée, ne pourrait-on pas remettre cet interrogatoire à demain ? l'interrompit Olivier.

– Comme vous voulez, répliqua Ronan. Tu sais où dormir ce soir ? me demanda-t-il.

– Chez moi, affirma Olivier en chevalier servant, merci de vous être déplacé.

– Encore une question, Marianne, connaissais-tu ce document ?

Il tenait dans ses mains gantées le certificat d'adoption.

– Non, je ne comprends pas, c'est tellement lâche !

Dans un geste de compassion, peut-être même de tendresse, Ronan m'embrassa sur une joue.

– Prends soin de toi, je t'attends demain à 10 heures au commissariat central.

– Nous y serons, merci, répondit Olivier à ma place.

Je refusai de suivre Olivier chez lui, je voulais remettre de l'ordre le plus rapidement possible pour retrouver un peu de quiétude. Il nous fallut pratiquement toute la nuit pour tout ranger.

J'étais dévastée. Quelqu'un était entré dans mon intimité, un inconnu avait touché à mes affaires, m'avait volée. Pourquoi ? Et ces mots écrits sur le miroir de ma chambre ? Ce document qui portait mon nom ?

Olivier s'approcha pour me réconforter, je me blottis dans ses bras. J'appréciais son aide et sa présence.

***

Le lendemain matin, mon premier réflexe fut de faire le tour de l'appartement. Bien que tout fût de nouveau à sa place, j'étais consciente de ne pas avoir rêvé. Pendant qu'Olivier prenait une douche, je descendis rapidement au garage pour vérifier si ma sacoche était bien dans le coffre de ma voiture. Elle était là. À l'intérieur, se trouvaient mon ordinateur portable et les feuillets de Lucile. Sans savoir réellement pourquoi, je songeai que le pire était évité. « *Hakuna Matata* ! », soupirai-je.

Olivier m'attendait devant une tasse de café.

– J'ai appelé un ami serrurier, il viendra en fin de matinée, ça te convient ?

– Oui, merci, qu'est-ce que je deviendrais sans toi !

– Veux-tu que je t'accompagne au commissariat ?

– Non, inutile, merci, Ronan est une vieille connaissance.

– Il en pince pour toi, n'est-ce pas ?

– Ça m'étonnerait beaucoup, c'est lui qui a choisi de me quitter.

– Je vois, un ex ?

Il mit son manteau et m'embrassa avant de partir.

– Si tu veux, j'annule mon stage à Paris.

– Non, tout va bien maintenant, je vais changer les serrures et tout va rentrer dans l'ordre.

– Je pars pour trois jours, je serai difficilement joignable, mais je t'appellerai dès que possible, promets-moi de me laisser un message si tu as besoin de moi.

Après l'avoir rassuré, je mis la chaîne à la porte d'entrée. Je devais appeler mes parents pour informer mon père du vol du dossier original, mais surtout pour leur parler de ce document.

Mon père écouta calmement, il ne prononça que deux mots avant de raccrocher.

– On arrive.

***

Je retrouvai Ronan à l'hôtel de police. Je lui racontai toute l'histoire du domaine Maréchal, de la transaction annulée, de mes recherches avec l'aide de mon père et de ma rencontre avec l'expert, Monsieur Corver. En revanche, je ne parlai pas de ma découverte des feuillets de Lucile.

– Eh bien ! Je te reconnais bien là, toujours la même, rapide et efficace, tu n'as pas perdu ton temps depuis ton arrivée, fit-t-il pour détendre l'atmosphère.

Je lui souriais à travers mes larmes.

– Ronan, je ne comprends pas ce qui m'arrive…

– Qui était au courant de tout ce que tu m'as dit ?

– Pour la source, tout le monde.

– C'est-à-dire ?

– La famille Maréchal, sauf Nathan qui est en mission au bout du monde, mon client, mes collaborateurs, mon directeur.

– Et ton bellâtre, il savait ?

– Olivier ? Oui. Ne l'appelle pas comme ça, heureusement qu'il a été là pour moi.

– Et pour ta découverte sur les velléités de Madame Maréchal vis-à-vis de son beau-fils, tout le monde savait également ?

– Non, seulement mon père et…

– Et Olivier ?

– Oui.

Ronan s'approcha tout près de moi, je sentais son souffle sur mon cou.

– Marianne, ce matin, j'ai vérifié personnellement le certificat d'adoption. Je suis, hum…, je suis désolé, ce n'est pas un faux. Il est homologué.

Le ciel me tombait sur la tête !

– Non, Ronan, non, ce n'est pas possible. Tu me connais, toi, tu sais qui je suis et d'où je viens. Non, Ronan, tu te trompes, c'est un faux, ce ne peut être qu'un faux !

J'éclatai en sanglots dans ses bras, et en même temps, je pensai à la réaction de mon père qui m'avait semblé curieuse.

– Je viens avec toi, nous allons les attendre ensemble.

J'avais récupéré trois trousseaux de clés auprès du gardien qui m'avait assurée de toute sa compassion. Il avait accompagné le serrurier et surveillé les travaux.

***

Nous étions à peine entrés dans l'appartement que mes parents sonnèrent à la porte. Je me jetai dans les bras de ma mère sans remarquer ses yeux rougis. Mon père salua Ronan, étonné de le voir chez moi. J'expliquai que c'était lui qui suivait l'enquête.

Mon père me prit tendrement les mains.

– Assieds-toi, ma chérie, nous avons à te parler.

Ma mère semblait en transe. Elle ferma les yeux comme pour laisser pénétrer en elle la force vitale, avant de continuer :

– J'ai souvent pensé à cet instant, je l'ai souhaité, mais aussi, je l'ai redouté. Je ne trouvais pas le bon moment, pas les mots…

Anxieuse, je l'encourageai afin qu'elle puisse poursuivre.

– Parle, Maman, je t'en prie…

Elle s'enfonça un peu plus, au fond du canapé, mon père lui tenait la main.

– Il faut tout lui dire maintenant, ma chérie.

Alors, ma mère commença un incroyable récit.

– Je me souviendrai toujours de cette nuit de décembre : j'étais enceinte de sept mois et demi lorsque les contractions ont commencé. Ton père participait à un séminaire à Marseille, il avait hésité à partir, mais le docteur avait été rassurant, le bébé n'arriverait pas avant le terme prévu pour février. Les premières douleurs ont été fulgurantes. J'ai immédiatement appelé les pompiers, ils sont arrivés rapidement, je faisais une hémorragie. J'avais déjà fait trois fausses couches, le médecin m'avait prévenue que cette tentative serait la dernière. Il n'y aurait pas d'autre essai ! Lorsque je suis arrivée à la maternité, une sage-femme m'a immédiatement prise en charge. Elle m'a examinée, le travail avait commencé, alors, elle a délicatement sorti le bébé et le placenta, puis elle a quitté la salle de travail sans me donner d'explications. J'étais à demi-consciente, mais suffisamment lucide pour comprendre qu'il était trop tard : le placenta s'était rompu, provoquant l'hémorragie, et le bébé avait succombé, n'ayant plus d'oxygène.

Ma mère s'arrêta un instant pour boire une gorgée d'eau d'un verre que Ronan lui avait apporté. Elle me regarda intensément.

– À cet instant, j'ai sombré... Le chagrin, la peur, la douleur... Et tout à coup, contre toute attente, la sage-femme est revenue et m'a déposé un bébé dans les bras :

– Félicitations ! m'a-t-elle dit. C'est une petite fille.

Je l'ai regardée, incrédule.

– Mais mon bébé n'a pas survécu.

– Chut ! Oui, elle a survécu, elle est là, dans vos bras. Elle va bien. Elle a besoin de vous. Promettez-moi d'être pour elle, la meilleure des mamans.

Des larmes dans les yeux, ma mère s'est levée avant de reprendre :

– Je ne savais que dire, j'avais sans doute halluciné sous le stress et l'effet des calmants. Même si, tout au fond de moi, je savais… J'ai choisi de ne rien dire, même pas à ton père, et de t'aimer de toutes mes forces comme un cadeau de Dieu.

J'étais interdite, je ne savais pas quoi dire. Comment est-on censé réagir devant ce type de révélation ? D'un seul coup, j'apprenais que les deux êtres en qui j'avais mis toute ma confiance, que j'aimais plus que tout, qui m'avaient tout donné et surtout la vie m'avaient caché l'essentiel, le fondamental, le primordial : ils n'étaient pas mes géniteurs !

Une boule s'était formée dans ma gorge. Mes doigts s'enfonçaient au fond de la poche de mon gilet.

– Toi, Papa, tu le savais ?

– Lorsque je suis revenu du séminaire et que je t'ai prise dans mes bras, j'ai su que tu étais ma fille, mon enfant, rien n'aurait pu m'en faire douter. Mais le jour de tes deux ans, il a fallu te faire faire une prise de sang et j'ai été très surpris de connaître ton groupe sanguin : A-. Ta mère et moi étions O+, aussi, je lui ai demandé des explications. Elle m'a raconté cette terrible nuit avec les mêmes mots qu'aujourd'hui. J'ai cherché à en savoir davantage.

Mon père se mit brusquement à arpenter la pièce de long en large.

– J'ai retrouvé la sage-femme et je l'ai fait parler. Oh ! Je ne l'ai pas contrainte, elle avait besoin de se confier. Elle avait déjà suivi ta mère lors de ses précédentes fausses couches. Après l'avoir accouchée, elle est sortie de la salle de travail en sachant pertinemment qu'il était impossible de réanimer son bébé. Elle avait besoin d'un peu de temps pour annoncer la terrible nouvelle et c'est à ce moment-là que quelqu'un lui a confié un nourrisson qui venait d'être trouvé dans la rue, durant une maraude. En le lui remettant, l'homme lui a expliqué que la femme qui venait d'accoucher était en détresse respiratoire, mais que le bébé semblait en bonne santé. La mère avait été conduite à l'hôpital public, et le nouveau-né en pédiatrie, à la maternité de la clinique où se trouvait ta mère. La sage-femme n'a pas hésité une seconde, elle m'a dit avoir été inspirée par le Divin.

Depuis qu'il avait pris la parole, j'étais restée silencieuse, les larmes coulaient le long de mes joues.

Mon père me serra fortement la main.

– J'ai tout tenté pour retrouver la femme qui avait accouché, mais elle avait quitté l'hôpital sans donner son nom. Ensuite, j'ai voulu faire les choses correctement, alors, j'ai fait le nécessaire pour régulariser ta situation par une adoption.

Des sanglots dans la voix, il termina, la tête basse.

– Voilà, tu connais la vérité. Je suis désolé, nous avons toujours voulu te le dire, mais… Je suis tellement désolé.

Je me blottis dans ses bras.

Ronan rapprocha ma mère de nous, elle aussi était en larmes. Tous les trois, nous ne formions plus qu'un. Il fallut un long moment pour faire taire notre émotion.

***

Ronan était resté en retrait durant toute la scène.

Son téléphone sonna. En raccrochant, il semblait soucieux. Avant de prendre congé, il éloigna mon père pour lui parler.

– Je suis inquiet, et je m'interroge. J'aimerais bien savoir comment les cambrioleurs ont eu connaissance des circonstances de la naissance de Marianne. Et quel est le lien avec l'affaire du domaine Maréchal ? Décidément, cette affaire ne me plaît pas. Il faut absolument l'empêcher de se comporter en enquêtrice, elle prend des risques. Je pense qu'elle n'a pas encore tout dit et je sens qu'elle nous cache quelque chose. Faites-la parler, c'est important.

Ronan parti, mon père et ma mère me supplièrent d'aller me reposer un moment. Je pensais que l'état de tension dans lequel je me trouvais m'empêcherait de dormir, pourtant, je plongeai dans un sommeil profond presque immédiatement.

***

Engourdie, je n'entendis pas la sonnerie du téléphone, c'est mon père qui décrocha :

– Allô, Marianne ? C'est Karen.

Au ton de sa voix, il comprit qu'il se passait quelque chose.

– Karen, c'est Roger Soulis à l'appareil, le père de Marianne. Elle dort.

– Elle est malade ?

– Non, elle a eu à faire face à de fortes émotions, elle vient de subir un cambriolage.

– Un cambriolage ! A-t-elle été agressée, est-elle blessée ?

– Non, mais elle est toute retournée.

– Monsieur Soulis, Marianne m'a demandé de faire des recherches pour elle et je n'aime pas ce que j'ai découvert…

– De quoi s'agit-il ? demanda mon père, nerveux.

– C'est confidentiel, et je ne…

– Karen, Ronan sort à l'instant de l'appartement, il m'a mis en garde, il craint que Marianne ne soit en danger. Je vous en prie, tout ce que vous pourriez me dire peut avoir de l'importance.

– Très bien, mais pas au téléphone. Je peux être là dans deux heures, pouvez-vous demander à Ronan de venir entendre ce que j'ai à dire ? C'est au sujet de Lucile Chevalier.

– La mère de Nathan ?

– Oui.

– On vous attend.

Mon père rappela Ronan pour lui raconter sa conversation avec Karen qu'il connaissait très bien, il lui assura qu'il serait présent en fin d'après-midi.

J'émergeai lentement d'une longue sieste. Je me sentais un peu mieux, j'avais dormi une bonne partie de l'après-midi. Mon père m'avait avertie de l'appel de Karen et de sa venue.

Il était 18 heures lorsqu'elle arriva, Ronan était déjà installé dans un des fauteuils du salon. Malgré mes réserves, je décidai de tout dire à propos des feuillets de Lucile.

En les sortant de ma sacoche, j'en expliquai rapidement le contenu : le mal-être de Lucile, sa vie avec Denis et le rôle de Gisèle dans leur vie de couple. Puis, j'en vins à parler de la maladie de Lucile, une forme précoce de la maladie d'Alzheimer, du traitement expérimental proposé par Gisèle, des médicaments prescrits, du suivi personnalisé puis de sa grossesse et de la réaction de Gisèle à cette annonce.

Pour être tout à fait honnête, je relatai également en détail ma conversation avec Gisèle lors de notre rencontre fortuite. J'exprimai mon trouble à la lecture des documents, mais aussi mes doutes sur leur véracité, d'où la demande de recherches faite auprès de Karen.

— Mais enfin, ma chérie, pourquoi ne m'as-tu rien dit ? me demanda mon père.

Avant que je ne réponde, Ronan s'adressa à Karen.

— Quelle a été la nature de tes recherches et qu'as-tu découvert ?

— J'ai d'abord étudié les résultats des analyses de sang de Lucile. Deux ans d'analyses suivies dans le temps, cela donne des repères sur les évolutions possibles. J'ai trouvé des anomalies dans les résultats. Au début, Marianne ne m'avait pas parlé du diagnostic, une forme précoce de la maladie d'Alzheimer, et je n'ai pas su interpréter certaines données, j'en ai parlé à un confrère pour avoir son avis. Il a eu la même réaction que moi. Alors, j'ai demandé au laboratoire de m'envoyer les originaux et là, j'ai vu que les documents remis à Lucile Maréchal avaient été falsifiés. En fait, tout était normal dans ses analyses..., et pendant plusieurs mois on lui a menti en lui faisant croire qu'elle était malade.

Plus encore que les autres, j'étais abasourdie.

– Mais alors, le traitement qu'elle prenait ?

Karen me prit à témoin.

– C'est pour cela que je t'ai demandé de me faire parvenir les gélules en ta possession. Le traitement était composé de fortes doses de benzodiazépines, de doxépine, d'un antidépresseur, de diphénhydramine, d'un somnifère et d'oxybutynine contre l'incontinence urinaire.

– Joli mélange ! J'imagine qu'il a été élaboré dans un but précis ? s'enquît Ronan.

– En effet, des études ont montré que ce cocktail pris sur le long terme faisait courir au patient un risque important de démence.

Je réagis instantanément :

– Mais alors, ces troubles dont elle parle dans les feuillets ? Les rendez-vous oubliés, les numéros de téléphone effacés de sa mémoire, les accidents de langage lorsqu'elle remplaçait un mot par un autre... Ses oublis, ses errements dans les rues, tout n'était dû qu'au traitement qu'on lui faisait prendre ?

– Oui, Marianne, quelqu'un l'a manipulée, peut-être même a-t-on voulu la supprimer.

– Tu peux prouver tout ce que tu dis ? reprit Ronan.

– Oui, j'ai constitué un dossier, il n'y a aucun doute : quelqu'un a cherché à faire du mal à cette pauvre femme.

Nous étions tous accablés devant ces divulgations. « *Quelqu'un avait cherché à lui faire du mal, mais qui ? Pourquoi ? Gisèle, pour avoir Denis pour elle toute seule ?* » Mes pensées s'étaient envolées, j'étais désappointée, je réfléchissais.

– Tu dois laisser faire la police maintenant, me dit Ronan, le dossier est suffisant pour ouvrir une enquête, Marianne, j'ai besoin des feuillets.

J'étais toujours dans mes pensées, tentant de reconstituer les pièces d'un puzzle. « *Que s'était-il passé le jour où Lucile avait cessé d'écrire ? Elle avait rendez-vous avec Gisèle. Que lui était-il arrivé ? Personne ne pouvait répondre à cette question.* » Je continuais mon cheminement intérieur.

– Je dois en parler à Nathan Maréchal, il s'agit de sa mère, affirmai-je, certaine de ma décision.

– Non, Marianne, c'est à la police d'agir maintenant, laisse-moi faire, s'il te plaît.

Les mots de Ronan me firent revenir parmi eux. Malgré leurs réserves, leur insistance et l'heure tardive, j'avais appelé Monsieur Corver pour savoir si Nathan lui avait laissé des coordonnées pour le joindre. Il avait fini par m'avouer qu'il était en relation avec lui dans le cadre de sa mission. Il pouvait laisser des messages auxquels Nathan répondait en fonction de l'urgence et de ses disponibilités.

Devant mon obstination, il m'avait assuré qu'il lui ferait savoir que je cherchais à le joindre de toute urgence pour un motif impérieux. Il ne restait plus qu'à attendre.

Karen était repartie après dîner, elle avait une réunion importante prévue très tôt le lendemain matin.

***

J'entrai dans ma chambre lorsque le téléphone résonna : c'était Claire.

– Marianne, tu n'es pas encore couchée ? J'ai ce que tu m'as demandé. J'espère que tu as du temps devant toi, ça risque d'être long.

– Attends, je m'installe confortablement... Vas-y, c'est bon, je t'écoute.

– Ouvre ton ordinateur, tu suivras mieux en lisant avec moi les coupures de journaux que je t'ai transmises. Ton Denis Maréchal a été salement amoché : il a d'abord été soupçonné de

« trafic d'influence » et de « corruption passive ». Les enquêteurs de la division économique et financière ont repéré des relations entre la famille Maréchal et plusieurs sociétés de BTP. Plusieurs factures ont été réglées par un marchand de biens pour l'aménagement du jardin de leur maison, des séjours dans des hôtels de luxe…

– Quel était le deal ?

– Disons, pour faire court, que le marchand de biens espérait une plus-value sur la vente d'une résidence de vacances grâce à la création d'un chemin forestier et d'un parcours de santé en zone naturelle protégée. Apparemment, la préfecture a reçu plusieurs interventions zélées de la mairie pour accélérer la procédure et valider la décision. Pour la petite histoire, il faut savoir que ce chemin pare-feu assurait un accès aux pompiers, mais surtout il permettait de désenclaver un terrain de 10 hectares, et ainsi de le rendre constructible.

– Quelles ont été les suites ?

– Cette affaire a été classée sans suite, mais peu de temps après, un autre scandale a éclaté : Denis Maréchal a été de nouveau soupçonné d'avoir réalisé un montage financier complexe pour l'achat d'un bien immobilier. L'enquête a révélé que la mairie en tant que collectivité était la bénéficiaire de l'achat, mais qu'elle était également la locataire dudit bien qui servait de centre social. La brigade financière a repéré que le paiement des loyers par l'acheteur à lui-même, a été utilisé dans un circuit de blanchiment d'argent. Heureusement pour Denis Maréchal, il n'a pas été possible de prouver de façon flagrante sa relation avec la société mise en cause.

– Tu connais le nom de la société ?

– On cite un certain Daniel Casey, représentant la société Aqua Air Immo.

Je faillis m'étrangler.

– Marianne, tu vas bien ?

– Oui, tu as le nom du notaire ?

– Attends, je cherche. Maître Rousselet. C'est le nom qui apparaît dans mon dossier.

C'était explosif ! Ce que Claire venait de m'apprendre était tout simplement explosif ! Je cherchai fiévreusement dans mon dossier le nom du représentant de la société Aqua Viva Immo. Bingo ! Daniel Casey.

– Marianne, tu es toujours là ?

– Oui, désolée, je devais faire une vérification. Tu as autre chose ?

– Non, on peut dire que ces soupçons ont mis fin à la carrière politique du député-maire, Denis Maréchal. Il a fait un infarctus peu après, ce qui l'a beaucoup diminué, semble-t-il. Puis plus rien, jusqu'à sa mort, il y a six mois. La chronique nécrologique met en avant un grand homme, humaniste, droit dans ses bottes. Plus une seule ligne sur les affaires…

En fin limier, Claire comprit qu'il y avait autre chose.

– Marianne, c'était pourquoi faire cette vérification ?

– Le représentant de la société Aqua Air Immo, Daniel Casey, est également le représentant de la société Aqua Viva Immo avec laquelle je suis en pleine transaction pour la construction d'une station thermale. Mais il y a un loup : des analyses récentes de l'eau ne permettent plus l'exploitation d'un tel établissement, or, l'acquéreur ne semble pas tellement perturbé. Je n'y comprends rien !

– Crois-moi Marianne, ça ne sent pas bon, tiens-moi au courant. Tu as besoin d'autre chose ?

– Non, merci, pas pour le moment, je t'appelle dès que j'en sais plus. Bisous.

J'avais à peine raccroché que mon téléphone sonna à nouveau : c'était Olivier.

– Marianne, enfin, j'étais fou d'inquiétude !

– Olivier, c'est tellement bon de t'entendre. Je vais bien, mais tout se bouscule dans mon esprit et dans ma vie… !

Je lui racontai en détail les derniers événements : mon adoption, la manipulation subie par Lucile, jusqu'aux révélations que Claire venait de me faire.

Il écouta sans m'interrompre.

– Marianne, je suis navré de ne pas être près de toi en ce moment. Pauvre poussinette, j'aimerais tellement te serrer dans mes bras. Tes parents sont-ils restés avec toi ?

– Oui, je ne suis pas seule.

– Prends soin de toi.

17

L'indicible

Mes parents choisirent de rester avec moi jusqu'à la fin de la semaine.

Contrairement à leur souhait, et malgré mes yeux rougis, je décidai de retourner à l'agence pour reprendre mes activités. Pour ne pas les apeurer, je ne mentionnai pas ma conversation avec Claire, mais je comptais bien passer voir Ronan, à qui j'avais transmis un message par mail.

J'avais mis en pièces jointes tous les extraits de journaux récoltés par mon amie. Je lui promettais de ne pas enquêter, mais j'avais encore quelques recherches à faire. La première, sur le document d'urbanisme que j'avais téléchargé au bureau.

La matinée fut consacrée à faire le point sur notre parc locatif. J'avais demandé quelques statistiques pour connaître le délai moyen de mise en location. Les résultats étaient instructifs et montraient des différences sensibles selon les secteurs géographiques. Il fallait donc déterminer des stratégies différentes en fonction des zones à définir.

J'étais axée sur les statistiques dans le bureau de Robin lorsque Solène vint me chercher.

– Un homme demande à vous voir.

– Un homme ? Un client ?

– Non, il dit que c'est personnel et urgent.

Je jetai un coup d'œil à travers les vitres du bureau. Nathan se tenait au milieu de l'accueil, un grand sac de voyage posé à ses pieds. Je me précipitai pour le rejoindre.

– Mademoiselle Soulis, ma mission a été écourtée et je venais juste de rentrer à Paris lorsque j'ai eu votre message. J'ai préféré venir directement, que se passe-t-il ?

– Je dois vous parler, c'est essentiel et délicat, je détiens des informations personnelles de première importance pour vous.

— De quoi s'agit-il ?

Je conduisis Nathan, dans mon bureau. Je sortis les feuillets de ma sacoche avec précaution.

— Asseyez-vous, je vous en prie.

Troublé, Nathan scrutait la liasse que je tenais dans ma main.

— Qu'est-ce que c'est ? Il me semble reconnaître cette écriture, c'est celle de ma mère, n'est-ce pas ?

— Oui, c'est à Lucile Maréchal. J'ai retrouvé ces feuillets chez vous, ils se trouvaient dans un réduit situé dans une chambre de la bastide.

Nathan me regardait, incrédule.

— Ne m'en veuillez pas, je n'ai pas pu m'empêcher de les lire, et ensuite, j'ai tenu à faire quelques vérifications avant de vous les faire parvenir. Où êtes-vous descendu ?

— Nulle part, je suis arrivé directement en taxi, depuis l'aéroport.

— Je peux vous emmener chez moi ou vous laisser dans mon bureau, mais il faut à tout prix que vous lisiez ce récit.

Nathan n'écoutait déjà plus. Installé dans mon fauteuil, il était totalement happé par le début de sa lecture.

Je lui fis déposer une collation à laquelle il ne toucha pas. J'avais informé mes collaborateurs qu'il s'agissait d'un membre de la famille Maréchal, et sans trahir de secret, j'avais précisé qu'il avait sous les yeux un document écrit par sa mère, dont il n'avait jamais eu connaissance.

J'avertis Ronan de la situation, en lui promettant de nous rendre tous les deux à son bureau, dès que Nathan aurait terminé.

En attendant, je reprenais la chronologie des modifications des documents d'urbanisme de la commune de La Chapelle-Geneste, j'étais assez étonnée de m'apercevoir que le signataire des procédures dans les années 95 à 99 était Clélia Maréchal et non Denis Maréchal… !

Il était près de 17 heures lorsque Nathan se leva et sortit de mon bureau.

Lui, le ténébreux solitaire, était livide, les mâchoires crispées. Il se tourna vers moi, les yeux rougis par les larmes :

– Vous m'avez dit que vous aviez vérifié tous les faits ?

– Oui, j'ai confié à une amie biologiste le dossier médical de votre Maman, il y avait également des gélules qui ont été analysées.

Une colère sourde perçait dans sa voix :

– La police a été prévenue ?

– Oui, nous sommes attendus dans le bureau de l'inspecteur, une enquête doit être ouverte.

– Allons-y !

Sur le chemin, j'expliquai à Nathan les derniers rebondissements, ceux portant sur les analyses des eaux thermales, ceux portant sur mon cambriolage ainsi que les révélations sur mon adoption.

– Je suis désolé, cela a dû être terriblement violent pour vous...

– Oui, mais le dossier n'est pas clos, je tiens absolument à savoir ce que sont devenus ma mère et mon père biologiques.

***

Tout en marchant à ses côtés, j'observais Nathan Maréchal. Cet homme était courageux, j'admirais son sang-froid. À sa place, j'aurais... Je ne sais pas bien ce que j'aurais fait à sa place, car j'avais déjà beaucoup de mal avec ma propre vie.

Ronan nous attendait, je ne l'avais jamais vu aussi nerveux. Je lui présentai Nathan en l'informant qu'il était au courant de tous les éléments en ma possession et qu'il venait de lire les feuillets de Lucile Maréchal.

Bouleversé par l'intensité de la souffrance du jeune homme, Ronan s'efforça de le calmer, puis entra au cœur du sujet :

– Monsieur Maréchal, j'ai obtenu du juge qui suit l'affaire, une commission rogatoire qui me donne le pouvoir d'auditionner Madame

Maréchal dans le cadre d'une enquête pour homicide involontaire. J'ai également obtenu l'autorisation de perquisitionner son domicile. Nous marchons sur des œufs, j'attends le document signé pour lancer l'opération.

Son téléphone sonna.

– C'était le procureur, on a le feu vert, on y va, lança-t-il à son équipe

Je vis le corps de Nathan se raidir.

– Je viens !

Je suppliai moi aussi Ronan du regard.

– Suivez-moi, tous les deux, allons-y !

Nous fîmes le trajet entre Le Puy-en-Velay et La Chapelle-Geneste, toutes sirènes hurlantes, en un temps record. Lorsque nous arrivâmes, Gisèle, vêtue d'un long manteau blanc, était dans la cour, un bagage à la main. Derrière elle, Clélia fermait la porte de la maison, tous les volets étaient clos.

Dans la voiture, éclairé par la lumière du lampadaire, un homme s'affaissa sur le volant en nous voyant arriver. Je me figeai, mon pouls s'accéléra, ma respiration devint de plus en plus saccadée. Je venais de reconnaître Olivier. Stupéfaite, interloquée, je refusais de croire ce que mes yeux me montraient. Ce n'était pas possible, Olivier était en stage à Paris, pourquoi m'aurait-il menti ?

En proie à la panique, je suffoquais, l'air ne parvenait plus à remplir mes poumons. Ronan me prit les mains.

– Calme-toi, Marianne, calme-toi, respire doucement. Quelqu'un a-t-il un sac en papier ? s'écria-t-il.

Nathan fouilla la voiture et trouva dans la portière un sachet en plastique, il le lui tendit fébrilement. En un regard, les deux hommes s'étaient compris : l'oxygène n'arrivait plus, je m'asphyxiais. Ronan souffla dans le sachet et me le mit sous le nez.

– Calme-toi, Marianne, calme-toi, respire doucement dans ce sac.

Au bout de plusieurs minutes, très lentement, je réussis à reprendre ma respiration.

Nathan fit signe à Ronan qu'il pouvait gérer seul la situation. Pendant que l'inspecteur principal supervisait la perquisition, Nathan me réchauffait le corps en me serrant dans ses bras.

Estimant que la nuit serait longue, Ronan chargea un officier de nous ramener chez moi.

— Je vous rejoins dès que possible, promis. J'ai prévenu tes parents, ils vous attendent.

Serrés l'un contre l'autre, Nathan et moi étions chacun perdus dans nos pensées. Olivier m'avait trahie. Pourquoi ? Depuis quand ? Jusqu'où ? Quel était son rôle dans cette affaire ? Je passai la plus grande partie de la nuit à ressasser ces questions, sans trouver la moindre explication.

***

Le jour était déjà levé lorsque Ronan nous rejoignit enfin. Nous étions restés éveillés et l'attendions tous avec impatience.

À peine avait-il retiré son manteau qu'il fut assailli de questions. À sa demande, je lui servis un café. Il jouait nerveusement avec l'anse de la tasse puis prit une gorgée de café brûlant avant de s'exprimer. Manifestement, il cherchait ses mots.

– Gisèle reconnaît les faits, elle admet avoir manipulé mentalement, psychologiquement et chimiquement votre mère, expliqua-t-il à Nathan. Elle lui fournissait des médicaments qui avaient pour effet d'accroître le risque de démence.

– Pourquoi ? interrogea Nathan, les mâchoires serrées.

– Elle voyait votre mère comme un fardeau dans la vie de votre père, une entrave pour sa carrière. Elle reste persuadée aujourd'hui encore qu'elle fût la seule à pouvoir le comprendre et à savoir l'aimer. Son comportement est obsessionnel, j'ai demandé une expertise psychiatrique.

– Qu'est devenue ma mère ?

Nathan avait parlé d'une voix chevrotante.

– On ne sait pas, pas encore…

– Et ma sœur, Clélia ?

– Pour elle, c'est plus compliqué : elle a résisté plus longtemps, mais nous avons trouvé dans le coffre de la maison, des pièces comptables qui semblent la mettre en cause dans plusieurs affaires de trafic d'influence et de corruption. Ma brigade analyse les documents, on peut penser qu'elle était à l'origine des faits pour lesquels votre père a été soupçonné.

– Quel gâchis ! Que va-t-il leur arriver ?

– Toutes deux sont en garde à vue. Elles vont être déférées devant un juge d'instruction et probablement mises en examen. À l'heure qu'il est, elles ont été conduites à la maison d'arrêt du Puy.

– Et mon frère ?

– Raphaël semble hors de cause. Il est à Paris avec plusieurs employés de la scierie pour un salon du bois. Nous sommes arrivés à le joindre au téléphone, il tombe des nues, il rentre demain, à la première heure.

– Et Olivier ? demandai-je d'une toute petite voix.

– On essaie de déterminer son rôle exact, on sait seulement que c'est un joueur incurable, avec beaucoup de dettes.

– Alors, c'est fini..., soupira ma mère en lui serrant les mains. Tout va rentrer dans l'ordre ?

En voyant le visage de Ronan se crisper, elle regretta sa question.

– C'est la justice qui va prendre le relais, mon rôle est presque terminé.

– Presque ?

– Je suis sur une piste concernant Lucile Maréchal, cela vous concerne tous les quatre.

Mon cœur se serra.

– Nathan, mes parents et moi ?

La voix de Ronan prit des accents métalliques.

– Depuis la lecture des feuillets, j'ai interrogé tous les proches de la famille. J'ai retrouvé Perrine, la cousine de Lucile. Regardez ! Il sortit de sa poche intérieure une photo.

L'image de cette jeune fille brune aux yeux dorés me fit chavirer : la ressemblance était stupéfiante, on aurait dit mon portrait.

– Je ne comprends pas. Ronan, explique-toi, le suppliai-je.

– C'est la photo de Perrine, la cousine de Lucile ; sa mère et celle de Lucile étaient sœurs. Marianne, en voyant cette photo, j'ai cherché à comprendre… Ces traits si proches des tiens, ça ne pouvait pas être une coïncidence…

Ronan semblait assis sur des charbons ardents.

– Voilà ce que j'ai appris. Lorsqu'elle a disparu, Lucile était enceinte.

Nathan émit un grognement.

– Comment ? Enceinte ? Mais comment pourriez-vous le savoir ? Ronan se tourna face à lui.

– Lors de son audition, j'ai poussé Gisèle Maréchal dans ses retranchements. Je lui ai montré les feuillets rédigés par votre mère en lui faisant croire que tout était écrit et que, par conséquent, je savais exactement ce qui était arrivé. Alors, elle est revenue sur la disparition de Lucile Maréchal. Tout au long de l'audition, Gisèle a parlé calmement, sans repentir, sans aucun remords. Elle a tout avoué, dans les moindres détails, c'était surprenant, c'était comme si elle revivait la scène.

Ronan nous expliqua que depuis plusieurs mois, Gisèle suivait l'évolution de l'état de santé de Lucile Maréchal en lui faisant pratiquer des analyses. C'est comme ça qu'elle avait découvert la grossesse de la jeune femme qu'elle-même ignorait par ailleurs. Cette nouvelle l'avait rendue folle de rage. Sous un faux prétexte, elle lui avait demandé de venir à l'hôpital et lorsque Lucile était arrivée, elle s'était vidée de toute sa hargne.

– Ce sont ses propres mots, avait précisé Ronan. Elle lui a d'abord annoncé la nouvelle puis elle lui a rappelé sa maladie, elle lui a expliqué que le pire était à venir, qu'elle était une entrave pour Denis, qu'il fallait qu'elle lui rende sa liberté. Lucile était abasourdie, elle était enceinte de six mois, mais ne s'était jamais doutée de rien. Alors, Gisèle avait décidé de changer de tactique. Elle connaissait tout à fait l'état de faiblesse psychologique de Lucile.

Ronan s'approcha de Nathan et lui mit une main sur l'épaule.

– Gisèle a admis qu'elle était clairement à l'origine de son état en lui administrant son traitement. Son but était de la faire sombrer dans la démence alors qu'elle n'était pas malade. Elle a tout fait pour la convaincre d'être raisonnable et de ne pas garder cet enfant dans sa situation. Elle a tenté de la persuader de se faire avorter en lui répétant qu'elle était déjà un fardeau pour Denis et pour vous Nathan et qu'elle ne devait pas leur imposer un autre enfant.

Gisèle avait fini par faire croire à Lucile que ce n'était plus possible, qu'il était temps pour elle de rendre à Denis, sa liberté.

Ce soir-là, Lucile l'avait rejointe, comme prévu, pour avoir un nouveau traitement. Avec son accord, Gisèle l'avait mise dans un bus pour Saint-Étienne en lui promettant de la rejoindre avec son fils et de les installer en ville. Bien évidemment, elle n'était pas allée la retrouver, elle avait pris ses papiers, son argent et vu la dose de médicaments qu'elle lui avait administrée, Gisèle savait qu'elle était dans un état de léthargie.

– Elle a avoué qu'elle voulait la faire disparaître pour toujours afin qu'elle récupère enfin Denis. « Il était à moi, vous savez, c'est elle qui me l'avait volé, j'étais dans mon bon droit », c'est ainsi qu'elle a conclu.

Ronan s'interrompit un instant cherchant désespérément les mots justes. Les yeux remplis de compassion et de tristesse, il toussa pour s'éclaircir la voix.

– À partir de là, j'ai remonté toutes les pistes possibles. Toute la nuit, avec mon équipe, nous avons croisé tous les témoignages qui avaient été faits à l'époque de sa disparition avec le récit de la sage-femme qui s'est confiée à vous, Monsieur Soulis. Je pense être en mesure de reconstituer la suite des événements.

Son ton était grave. Nous étions tous suspendus à ses lèvres.

– Lorsqu'elle est arrivée à la gare routière de Saint-Étienne, Lucile était totalement perdue. Elle a d'abord attendu Gisèle, puis, hagarde, épouvantée, elle a erré dans les rues de la ville jusqu'à ce que deux femmes SDF lui proposent de venir se reposer dans le squat où elles vivaient. Elle n'avait plus de papiers, pas d'argent, elle était très faible. Personne ne lui a posé de questions, pour savoir qui elle était et d'où elle venait, c'était la règle. Elle y est restée près de deux mois. Elle avait un couchage, et chacun à son tour, ses compagnons d'infortune lui laissaient un peu de nourriture récupérée auprès des associations caritatives. Quand les contractions ont commencé, une des femmes présentes, une jeune junkie, est allée chercher de l'aide. Le temps qu'elle revienne avec les deux bénévoles qui commençaient leur maraude, Lucile avait accouché d'une petite fille en pleine santé, mais elle, elle était au plus mal. Pendant qu'elle était conduite à l'hôpital public en pleine hémorragie, le bébé était amené en pédiatrie à la maternité de la clinique où vous vous trouviez, Madame Soulis. C'est ce petit bébé qui vous a été confié comme un cadeau de Dieu.

Nous étions tous interdits devant l'horreur de ce récit. Ce que Gisèle avait fait subir à Lucile était inhumain !

Pour ma part, incrédule, je n'osai comprendre la portée de ce que Ronan venait d'annoncer

Dans la pièce, l'émotion était palpable.

Ni Nathan ni moi n'osions regarder l'autre, ce que nous venions d'entendre relevait de la fiction.

J'aurais voulu lui parler, mais aucun son ne sortait de ma gorge serrée. J'aurais voulu bouger, lui prendre la main, mais j'étais pétrifiée.

Ce fut Nathan qui, le premier, rompit le silence, des sanglots dans la voix :

– Notre mère est-elle… morte ? demanda-t-il en crispant sa main sur la mienne.

– Je ne sais pas… je cherche encore, répondit Ronan.

18

Le temps des réponses

J'étais perdue. J'hésitais. Est-ce que je vivais un cauchemar ou avais-je été transportée dans une vie parallèle ? En aucun cas, ce que je venais de vivre ne pouvait relever de la réalité.

En quelques heures, j'avais découvert que mes parents n'étaient pas mes parents. Me pensant fille unique, j'apprenais que j'avais un frère, un demi–frère et une demi-sœur ! Et que cette dernière, un peu perverse, était à l'origine de la mort de mon géniteur, l'homme charismatique qui m'avait tant intriguée. J'en voulais terriblement à Clélia pour sa manipulation, mais plus encore à Gisèle. Pour moi, cette femme avait atteint le comble de l'ignominie.

Pour ne pas sombrer dans la folie, je tentai de rassembler mes idées, de réfléchir calmement, mais la silhouette de cette pauvre femme abandonnée sur le quai d'une gare me hantait. Plutôt rationnelle, j'en vins à me demander si ce n'était pas Lucile qui m'avait aidée à découvrir ses feuillets et forcée à enquêter malgré moi.

« Lucile, ma maman ». Ces mots résonnaient dans ma tête et encore plus dans mon cœur.

Deux semaines s'étaient écoulées depuis la nuit des révélations. Une à une, toutes les hypothèses avancées par Ronan s'avéraient exactes. Pour avoir une certitude sur notre filiation, il avait fait pratiquer des tests ADN sur Nathan et moi. Nous n'avions pas attendu les résultats pour nous rapprocher Nathan, Raphaël, Clélia... et moi. Dorénavant, il était important pour nous, de nous reconstruire ensemble.

Nathan enveloppait Raphaël de toute sa tendresse. Il avait beaucoup de mal à admettre les égarements de sa petite sœur, mais plus encore le crime de sa mère. Gisèle était toujours incarcérée, elle avait été transférée à l'hôpital psychiatrique de Saint-Étienne. Les expertises psychologiques demandées par Ronan étaient en cours.

Contrairement à Nathan, j'avais sollicité une entrevue avec elle, je cherchais à comprendre, je voulais des réponses… J'attendais la décision du juge, mais Ronan m'avait prévenue que je ne devais rien espérer. Gisèle avait sombré dans une sorte d'hébétude dont elle ne sortait plus.

Clélia avait été mise en examen sous contrôle judiciaire, elle serait jugée sur des faits de corruption et de trafic d'influence, elle attendait son procès qui s'annonçait retentissant. L'enquête diligentée par Ronan avait précisé son rôle dans toutes les affaires pour lesquelles son père avait été suspecté. Contrairement à sa mère, elle n'avait cessé d'exprimer des remords pour tout ce qui lui était reproché.

Elle s'effondra littéralement lorsque Ronan lui fit comprendre que toutes ces épreuves avaient pu achever prématurément son père. Il était évident que Clélia était une victime collatérale dans toute cette histoire. Lors de sa détention provisoire, elle m'avait écrit une longue lettre dans laquelle elle me suppliait de lui pardonner. Les mots qu'elle avait employés m'avaient profondément émue.

À sa sortie, nous avions eu une grande conversation toutes les deux. Elle m'avait parlé d'elle, à cœur ouvert.

***

Clélia

Très tôt, la petite fille, trop gâtée par son père, qui n'avait que peu de temps à lui consacrer, et mal aimée par sa mère, qui vouait un amour total et exclusif à son mari, avait perdu pied.

Cette petite fille fragile à qui on ne pouvait rien refuser en raison de ses colères ou de ses caprices avait découvert le pouvoir de la manipulation, de la séduction et du mensonge…

Puis, était venu le temps de la rébellion et le goût de l'interdit, elle avait alors recherché le défendu, puis l'extase. Ce fut le temps du cannabis, de l'ecstasy et de la cocaïne… En pleine déchéance, totalement asservie, elle était passée d'homme en homme à la recherche du grand amour, si incertain.

Lorsqu'il avait revu sa petite sœur lors d'un passage éclair, Nathan avait compris que Clélia était en train de sombrer. Il l'avait convaincue de l'accompagner en Suisse. Elle l'avait suivi et partagé son appartement. Il l'avait soignée, elle s'était confiée, il l'avait écoutée, rassurée…

Il avait fallu du temps. Elle était rentrée requinquée, ragaillardie, mais encore si fragile.

À la maison, rien n'avait changé, chacun avait sa vie, ses centres d'intérêt, et voyant que personne ne s'intéressait vraiment à elle, elle s'était consolée avec le jeu. Elle était vite passé d'occasionnels pokers entre amis, à une présence constante aux tables de jeux illicites disséminées dans la région. Elle avait gagné, un peu, puis perdu, beaucoup.

Souffrant d'une véritable addiction au jeu, elle empruntait de l'argent à ses amis ou à sa famille, en trouvant à chaque fois le prétexte qui ne permettait à personne de lui opposer un refus. Très vite, les sommes dues étaient devenues considérables, ce qui avait rendu ses créanciers menaçants.

C'est à ce moment-là qu'elle avait été approchée pour la première fois par Daniel Casey. L'homme était le représentant de plusieurs sociétés de BTP qui avaient pignon sur rue. En fait, il travaillait pour une filière russe qui œuvrait dans le blanchiment d'argent.

Il avait repéré Clélia dans sa descente aux enfers. Elle l'intéressait à double titre : en tant que membre de la direction de la scierie qui développait une activité d'import-export dont il pourrait se servir, mais également pour sa filiation avec un député-maire, et son rôle au sein du conseil municipal.

C'est lui qui avait arrangé la rencontre entre elle et Olivier Lemaître, lui aussi, un joueur endurci. Ces deux-là étaient tombés amoureux et avaient rapidement cherché à monter des combines pour disposer d'un pécule suffisant à miser.

Au début, Daniel Casey s'était fait passer pour un ami désintéressé qui appréciait particulièrement leur compagnie. Il leur offrit des séjours dans des hôtels de luxe, près des plus beaux casinos. Une fois appâté, le couple, et surtout Clélia, s'était laissé entraîner dans une sombre escroquerie avec la mise en place d'un circuit de blanchiment d'argent, sous le regard juridique d'un notaire véreux, Maître Rousselet.

C'est dans ce cadre qu'elle avait acquis au nom de la collectivité un bien immobilier qui avait valu à son père une enquête pour corruption passive. Dans le même temps, Clélia, qui disposait des signatures nécessaires, avait à plusieurs reprises « arrangé » des autorisations d'urbanisme contre des deniers sonnants et trébuchants. La facilité déconcertante avec laquelle elle gagnait cet argent l'avait convaincue de passer à la vitesse supérieure.

Daniel Casey la mit alors en relation avec un marchand de biens. Propriétaire d'une résidence de vacances de luxe, il souhaitait l'étendre sur un terrain de plus de 10 hectares dont il était propriétaire, mais dont l'accès n'était pas suffisant pour répondre aux règles en vigueur. Elle avait pesé de tout le poids électoral de son père pour obtenir de la préfecture une autorisation rapide et indulgente.

Le marchand de biens avait ensuite vendu la résidence avec une possibilité d'extension clé en main, tout en créant une très grosse plus-value. Clélia toucha une belle commission. C'était, bien évidemment, Maître Rousselet qui avait réalisé la vente !

Clélia et Olivier, devenus aussi retors l'un que l'autre, n'étaient pas restés en couple très longtemps, mais ils étaient demeurés associés en escroquerie. Ils avaient encore gravi un échelon en proposant à Daniel Casey de monter ensemble une véritable forfaiture avec la société Aqua Viva Immo.

Clélia avait beaucoup appris sur le thermalisme en aidant son père à produire un rapport sur le sujet. Après avoir étudié les propriétés de la source d'eau chaude découverte sur le terrain du domaine des Maréchal, elle avait immédiatement saisi les enjeux financiers qui pouvaient se cacher derrière cette affaire. L'exploitation d'un établissement thermal adossé à un casino permettrait de mettre en place un circuit pour le blanchiment d'argent, ce que cherchait Monsieur Casey.

Profitant de la longue absence de Nathan, Clélia avait mis son plan en place. La société parisienne mandatée fut choisie pour son incompétence notoire et Olivier falsifia le rapport rendu pour obtenir les résultats attendus. À plusieurs reprises, Denis Maréchal avait douté de Clélia, mais à chaque fois, elle était parvenue à détourner son attention et à le convaincre que toutes ces accusations étaient portées par ses adversaires politiques. Le manque de preuves systématique jouait en la faveur de sa petite fille chérie…

Émue par les confidences de Célia, je ne l'avais pas jugée, j'avais seulement essayé de comprendre sa détresse. Malgré mes réticences, nous étions tombées dans les bras l'une de l'autre, simplement, sincèrement…, juste comme deux sœurs.

Je n'avais pas cherché à revoir Olivier, lui non plus d'ailleurs !

C'est bien le hasard qui nous avait fait nous rencontrer et commencer une belle histoire. Mais rapidement, il avait compris le rôle qui était le mien dans les affaires de la famille Maréchal. Toutes les confidences que je lui faisais étaient immédiatement rapportées à Clélia. Je devins dangereuse pour eux, dès ma rencontre avec l'expert, Monsieur Corver, et plus encore, lorsque j'eus découvert que le rapport était falsifié.

Dès ce moment, ils menèrent des recherches pour mieux me nuire et me faire fuir. Olivier avait eu l'idée du cambriolage, l'initiative était destinée à me faire peur. De son côté, en fouillant dans mon passé, Maître Rousselet avait découvert mon acte d'adoption publié aux hypothèques. Olivier savait que j'ignorais avoir été adoptée, je lui avais tout raconté sur moi. Le notaire leur avait fourni la copie de l'acte officiel, sans se douter, à ce moment-là, que j'étais la demi-sœur de Clélia.

Tout s'était vraiment accéléré lorsque j'avais évoqué les feuillets, la manipulation subie par Lucile, les preuves détenues par Karen et les révélations que Claire venait de me faire. C'est ce soir-là, qu'ils ont décidé de fuir à l'étranger, mais heureusement Ronan les a devancés en intervenant à temps et en trouvant les preuves nécessaires pour les conduire en prison.

19

La bastide

J'avais repris mon travail, Nathan était reparti à Paris pour quelques jours.

Sans surprise, le test ADN s'était révélé positif. J'avais beau m'y attendre, je fus toute retournée lorsque je reçus les résultats. À peine avais-je décacheté la lettre que le téléphone sonna.

– Allô ?

– Bonjour, ma sœurette.

Je sentis mon pouls s'accélérer.

– Oh ! Tu as reçu les résultats toi aussi ?

– Oui.

Nous étions tous les deux un peu embarrassés.

– D'après toi, c'est toi ou c'est moi ?

– Quoi ?

– Le plus empoté en sentiment. De nous deux, c'est toi ou c'est moi ? répéta-t-il.

J'éclatai de rire.

– Disons que ce doit être dans nos gènes !

Dès lors, nos relations s'intensifièrent. Il me proposa de le rejoindre à Paris pour le week-end, puisque nous devions apprendre à nous connaître. J'acceptai, il avait raison, mon grand frère. Je raccrochai, rassérénée.

C'était étonnant de me dire que dorénavant j'avais un grand frère, un autre plus jeune et même une sœur. Une fois de plus, mes pensées m'emportaient.

J'avais beaucoup pensé à Lucile. Avec la lecture de ses feuillets, j'avais suivi ses états d'âme depuis sa plus tendre jeunesse, mais j'avais plus de mal à imaginer que Denis Maréchal fut mon père. Cet homme fascinant qui avait soulevé tant de passions. Tous ceux qui parlaient de lui mettaient en avant son honneur, son humanisme. Qu'aurait-il fait s'il avait appris qu'il s'était rendu responsable du calvaire de sa femme en laissant entrer Gisèle dans leur foyer ?

J'étais certaine qu'il ne l'avait jamais trompée, c'était avant tout un homme d'honneur. Je crois même qu'il avait réellement aimé Lucile, il l'avait confié à Nathan juste avant sa mort…

Raphaël m'avait accueillie dans sa vie avec un surcroît de gentillesse et de tendresse. De tous les enfants, c'est celui qui ressemblait le plus à notre père, le même sens des affaires, la même détermination…

Il avait pris en main la défense de Clélia. Elle l'avait beaucoup soutenu lors de son récent divorce en restant à ses côtés des nuits entières à le consoler. Sa femme, une jeune mannequin, manifestement plus attirée par la notoriété de son nom et par le volume de son compte en banque que par l'homme, n'avait pas supporté la vie à la campagne.

Il avait tenté d'occuper son désœuvrement en la comblant de cadeaux, en lui offrant des séjours dans des hôtels de luxe. Mais rien ne trouvait grâce aux yeux de la jeune femme, rien n'avait pu rivaliser avec la vie parisienne qu'elle voulait reprendre.

Nathan m'appelait tous les jours. Il m'avait donné un double des clés de la bastide familiale.

— Tu es chez toi, c'est tout autant ta maison que la mienne. Elle nous vient de notre famille maternelle, depuis plus d'un siècle. André et Arlette Chevalier, nos grands-parents qui t'auraient beaucoup aimée, l'avaient reçue de Benoît le père d'André. C'est grâce à toi que nous avons percé le secret de la bastide. C'est notre héritage, celui des bougnats, avait-il ajouté en riant.

— Et puis, c'était celle de notre mère…

En prononçant ces mots à haute voix, pour la première fois, j'en compris tout le sens. Je devais retourner à la bastide !

Lorsque je poussai la porte de la maison, je réalisai pleinement pour la première fois que

Lucile était aussi ma Maman. Dès le premier jour, j'avais senti que cette maison m'accueillait avec bienveillance. N'était-ce pas Lucile qui m'avait guidée dans ce réduit dans lequel j'avais découvert ses feuillets ? Je l'aurais juré.

Il faisait très sombre à l'intérieur de la bâtisse, j'ouvris les volets. Rien n'avait changé, depuis cette première fois. Je pris le temps de retirer les housses qui recouvraient les meubles. Le rez-de-chaussée était resté à l'image que je m'étais faite d'un QG de campagne. Plusieurs bureaux, une grande table de réunion en bois, des chaises.

J'imaginai mon père, fiévreux dans l'attente des résultats. J'entendais les applaudissements après l'annonce de la victoire. Je montai aux étages en passant dans chaque pièce, je construisais la vie de ma mère et de mon père.

Je me souvenais de certains passages dans lesquels elle parlait de son bonheur. « *Le mariage fut célébré à La Chapelle-Geneste. Des fleurs de lys, ma fleur préférée, ornaient l'église toute proche de la bastide qui devait abriter notre bonheur. Ma robe de mariée était celle de ma mère qu'elle tenait elle-même de sa mère. Je portais une étole sur les épaules et des perles dans les cheveux.*

Denis était vêtu d'un complet gris foncé sur une chemise gris clair ornée d'un nœud papillon de la couleur de ma robe. Il était magnifique. Après l'échange des consentements, il m'embrassa tendrement, ce n'était pas notre premier baiser, mais celui-là scellait notre union devant Dieu, ce qui la rendait éternelle.

J'étais douloureusement heureuse ! »

Je la devinai… si heureuse de préparer pour eux deux un nid douillet.

« *Les teintes dominantes de l'appartement étaient plutôt neutres, avec du grège, du brun et du marron ainsi que quelques touches colorées posées avec parcimonie, une lampe d'ambiance à plasma multicolore, des rideaux en perles de verre de toutes les couleurs qui tombaient en cascades étincelantes.*

J'avais néanmoins cédé à la fausse fourrure à poil long pour recouvrir les coussins posés sur les fauteuils et pour servir de dessus-de-lit. Une table basse en verre fumé et aux pieds chromés, complétait le salon. Dans la cuisine, l'orange et le formica étaient de mise. Denis avait apprécié mes choix, il m'avait complimenté en me disant à quel point il se sentait bien chez nous. J'avais rougi devant un tel compliment.

Notre vie à deux ressemblait à l'idée que je me faisais d'un couple heureux. J'aidais Denis à la scierie, il m'avait initiée aux rudiments de la comptabilité d'entreprise et trouvant que j'étais plutôt douée, il m'avait confié peu à peu de plus en plus de responsabilités en matière de contrôle. Mais ce que je préférais, c'étaient les quelques soirées qu'il passait à la maison, seul avec moi, lorsque détendu, il m'expliquait dans le détail le projet politique qu'il avait pour la France. »

Je souris à l'idée de son bonheur lors de la naissance de mon frère Nathan :

« *Nathan naquit le 17 mars 1970. C'était le plus beau de tous les bébés, j'avais prié le ciel, pendant toute ma grossesse, pour qu'il ressemble à Denis. Mon vœu avait été exaucé : ses traits avaient la même délicatesse, la forme de ses yeux était semblable. Déjà, on devinait combien ce petit corps dodu deviendrait grand et fort.*

Nathan était un nourrisson facile qui me comblait un peu plus, tous les jours. Chaque matin, je couvrais de baisers ses petits membres potelés à souhait, le moindre de ses sourires me faisait fondre de tendresse. J'étais à l'affût de ses plus petits gazouillis, j'étais folle d'inquiétude au moindre rhume. Il était ma chair, il était mon sang et je n'imaginais pas pouvoir vivre sans lui.

De son côté, Denis, en papa fier de son fils, le présentait à tous les habitants du village. À la naissance de Nathan, il m'avait offert une chaîne en or et une perle de Tahiti montée en pendentif, que je portais au cou. Un clin d'œil à mes envies de voyage et à la couleur du lagon.

Je tremblais de bonheur, même si une douloureuse angoisse m'envahissait lorsque je le voyais anxieux à ses moments perdus. Quel était ce secret qui le minait ? Qu'avait-il perdu en m'épousant ?

Je devais, hélas, l'apprendre un jour, à mes dépens. »

Puis une fureur aveugle m'envahit en repensant à l'horreur que Gisèle lui avait fait subir. Je me remémorai ces derniers mots écrits par Lucile :

« Ce n'est plus possible, il est temps pour moi de rendre sa liberté à Denis. Gisèle a raison, je suis un fardeau si lourd pour lui et avec la maladie qui se développe en moi, le pire est à venir. »

Je l'imaginais, seule et perdue à la gare de Saint-Étienne après la terrible décision qu'elle avait prise. Ensuite, elle m'avait mise au monde et puis…

Recroquevillée sur ma souffrance, je crispai les mâchoires pour étouffer le cri d'une rage impuissante. Le nœud que je sentais monter dans ma poitrine finit dans un sanglot.

– Maman, comme tu as dû souffrir ! Où es-tu aujourd'hui ?

20

Le temps perdu

Cette histoire m'avait rapprochée de Ronan. Pour être honnête, je devais reconnaître qu'aussi loin que je me souvienne, il était toujours resté à mes côtés, partageant avec moi mes plus grandes joies, mais aussi mes plus grandes peines.

Mon esprit reprit son vagabondage vers nos années de bonheur, au temps de notre vie commune. Nous étions heureux ensemble, insouciants, remplis de projets communs. Nous avions la même vision de notre avenir. Nous étions faits l'un pour l'autre. Pourquoi est-ce que cela n'avait pas marché ?

Depuis ces derniers jours, je l'avais longuement observé sans qu'il n'y prenne garde. Il avait conservé le même sourire, celui qui me laissait penser que j'étais la seule femme au monde qui comptait pour lui. Il faisait toujours la même moue, sur le côté gauche de la lèvre, lorsqu'il était anxieux. La seule différence, c'est qu'il avait maintenant de toutes petites ridules autour des yeux. Ce qui lui allait très bien, d'ailleurs…

Il ne pratiquait plus l'escrime, mais s'entraînait régulièrement aux sports de combat. Il avait mûri, ce qui le rendait encore plus charmant qu'avant…

***

J'ai accepté son invitation : un dîner, rien que nous deux, dans une auberge au cadre romantique.

L'ambiance étant propice aux confidences, je vais droit au but :

— Ronan, on s'est aimé, n'est-ce pas ?

Je remarque comme un voile de souffrance dans son regard.

— Passionnément, oui, soupire-t-il.

– Je veux savoir pourquoi tu m'as trompée ce soir-là.

– Je ne t'ai pas trompée.

– Vraiment, et cette fille que tu embrassais ?

– Je ne l'ai pas embrassée.

Je suis agacée, même indignée par sa mauvaise foi. Ma voix monte dans les aigus :

– Ronan, je t'en prie, j'ai tout vu, de mes yeux, vu. Tu entends, j'ai vu !

– Tu fais une erreur, c'est elle qui m'a embrassé.

Avec un rire de dépit, je réplique, agressive :

– Qu'est-ce que ça change ?

– Tout. Pour elle, il s'agissait uniquement d'un pari.

Le ton glacial que vient de prendre Ronan me fait tressaillir.

– Comment ça ?

Impassible, il continue :

– C'était juste pour un pari. Cette fille que je ne connaissais pas intégrait l'école des Arts et Métiers. C'était la soirée d'intégration. Elle devait se faire photographier en embrassant dix garçons pour pouvoir rentrer dans l'établissement ce soir-là. Ça s'appelle du bizutage.

– Du bizutage ? C'était du bizutage ! Mais pourquoi ne me l'as-tu jamais dit ?

Ronan se radoucit pour répondre en me dévisageant.

– J'ai bien tenté à plusieurs reprises, princesse, mais tu ne m'en as jamais vraiment laissé l'occasion.

Je reste décontenancée par ses explications.

– Mais alors, tout ce temps perdu…

Il se tait et le silence qui suit mes propos est chargé de non-dits, d'absences, de regrets…

Les yeux embués de larmes, je me rapproche de lui en murmurant dans un souffle :

– Ronan, tu trouveras ce qu'est devenue Lucile, tu retrouveras ma Maman ?

Il saisit mes mains dans les siennes et les porte délicatement à ses lèvres pour y déposer un baiser. Plongeant ses yeux dans les miens, il essuie délicatement du bout du doigt une larme qui avait fini par se libérer, enfin.

Il prend encore quelques secondes avant de me répondre. Je suis suspendue à ses lèvres. Mon corps tout entier frissonne à son contact.

– Oui, Marianne, pour toi, je la retrouverai.

FIN

REMERCIEMENTS

Voir ce roman exister, c'est l'aboutissement d'un rêve, la réalisation d'une grande aventure…

Mille mercis à Rémi, mon mari, pour son soutien et ses mots ont su me toucher et me motiver à poursuivre une telle entreprise. Il a été ma source d'inspiration et une aide précieuse pour sa mémoire des lieux : la bastide décrite est une maison familiale dans laquelle, avec son frère et ses parents, il a passé une bonne partie de ses vacances d'été.

Merci à mes précieux relecteurs : Joëlle Chamalet, Jean Michel Giaretta, Madeleine Giaretta, qui après une lecture attentive et attentionnée m'ont apporté leurs conseils avisés et d'excellentes suggestions qui ont éclairé le chemin de la correction.

Merci à mes amies Nathalie Breul Makeeff qui a mis à ma disposition son talent de correctrice pour parfaire mon roman et Maïlis

Paire pour son aide précieuse. Merci à vous deux de croire en moi.

Merci à Delphine, Laure, Romane, Nicole Vialatte et à Corinne Giaretta, Chloé Foiratier…, mon cercle familial qui a montré un réel intérêt pour mon roman malgré mon inexpérience.

Merci à Patricia et Marine Vialatte pour leur investissement dans la réalisation de la couverture.

Un grand merci à ma maman, Thérèse Giaretta pour son soutien et sa confiance sans faille qui m'ont donné des ailes.

Enfin, qu'il me soit permis de remercier mes deux enfants, Magali Garcia et Christophe Vialatte et leurs familles pour leur amour inconditionnel et leur appui constant.

Quelle chance de vous avoir tous à mes côtés !

À vous tous, je dédie ce roman.

Table des matières

Printed in Great Britain
by Amazon

77529245R00190